HOWARD HUGHES
les années cachées

James Phelan

HOWARD HUGHES
les années cachées

Traduit de l'américain par
J.-L. Brochet et C. Gagnon

Stanké

Éditions internationales Alain Stanké
2100, rue Guy
Montréal
H3H 2N4
Canada

Maquette de la couverture:
Sylvie Barrière

Dépôt légal:
Bibliothèque nationale du Québec
1er trimestre 1977

ISBN 0-88566-054-4

À
Amalie, Judy
et Janet

AVANT-PROPOS

La plus célèbre invention de Howard Hughes ne fut ni le plus grand hydravion du monde, ni le « rivetage noyé » pour les avions, ni le soutien-gorge à balconnets de Jane Russell. Ce fut sa « Machinerie du Secret ». Si son grand hydravion s'éleva à peine au-dessus de l'eau, sa « Machinerie du Secret », elle, fonctionna pratiquement sans interruption pendant quinze ans. Elle permit à Hughes, l'un des hommes les plus connus du monde, d'être aussi l'homme sur les dernières années duquel on ne sait rien de sûr.

Seul un homme extrêmement riche pouvait se payer une Machinerie comme celle-là, et seul Howard Hughes pouvait la désirer et en avoir besoin. Ce livre explique son fonctionnement, quelques-unes des choses qu'elle cacha, et pourquoi le milliardaire en avait besoin.

Cette Machinerie avait beaucoup de rouages parce que Hughes avait beaucoup de choses à cacher : des femmes, des transactions commerciales, de vieux avions et de vieilles voitures, ses pensées, où il habitait, à quoi il ressemblait, à quoi il utilisait son argent bien ou mal acquis. Il cachait de grands secrets, un pot-de-vin de cent mille dollars pour un président, par exemple, et d'autres infiniment moins importants. Il cacha un détective californien pendant des années en Australie, lui versant un salaire de mille dollars par mois, dans le simple but de cacher ce que le détective avait fait pour lui.

Il camouflait si bien ses propres motivations, que même ses proches ne savaient pas pourquoi il faisait ce qu'il faisait. À une époque où personne ne cherche plus à dérober sa personnalité et ses pulsions, où tout est devenu licite, il croyait, lui, qu'il fallait tout refouler.

Il se cachait surtout lui-même. Il le fit si bien qu'un escroc comme Clifford Irving a pu fabriquer un Hughes apocryphe avec des coupures de journaux, des bribes de souvenirs de tierces personnes et une bonne dose d'imagination ; puis vendre l'autobiographie de ce faux Hughes à un éditeur pour la somme de sept cent cinquante mille dollars. Que les éditions McGraw-Hill et les publications *Time-Life* aient pu croire authentique le faux Hughes d'Irving montre bien à quel point on manque d'informations sur le vrai.

La génération précédente le prit, à tort, pour un mélange de Charles Lindberg, de Tom Swift et sa locomotive électrique, et de Jimmy Stewart dans « Mr. Smith va à Washington », et en fit un héros populaire américain. Quand, après la Seconde Guerre mondiale, il refusa de coopérer avec un comité d'investigation du Congrès qui lui était hostile, un bref mouvement surgit réclamant Hughes pour président — au moment même où il corrompait secrètement la politique et le gouvernement.

Le culte fiévreux de la conspiration qui règne aujourd'hui le dépeint comme un démon populaire américain. On voit en lui un formidable montreur de marionnettes, un illuminé[1] solitaire qui avait une influence occulte sur la politique nationale et internationale. S'il n'est pas le patron de la C.I.A., clame-t-on, il en est au moins le principal agent. Norman Mailer, dans un essai intitulé : « A Harlot High and Low », ne tranche pas. Mais il ne semble pas envisager une minute que Hughes ait pu n'être ni l'un ni l'autre.

— Ni lui ni personne ne pouvait vraiment savoir, écrit Mailer, quels secrets de la C.I.A. faisaient partie de son empire, ni quels secteurs de son empire étaient en fait dirigés par la C.I.A. On peut même se demander si au coeur de l'empire, il y avait bien un individu réel répondant au nom de Howard Hughes, ou si c'était un comité spécial.

Mailer imaginait qu'il n'existait personne du nom de Hughes. D'autres *savaient* que Howard Hughes était mort depuis longtemps. Pendant des années, des centaines de personnes m'ont fait part de cette conviction. Un groupe de Texans prétendait avoir une copie de son certificat de décès, délivré en 1959 et signé par un médecin, mais ne l'a jamais produite. D'autres montraient des photographies récentes de ce même Hughes que les Texans prétendaient mort depuis longtemps. En toute logique, ou le certificat était faux, ou les photographies l'étaient.

Il apparut avec le temps que tout cela n'était qu'inventions.

— Hughes est le seul homme que j'aie jamais connu dont il a fallu attendre la mort pour être sûr qu'il avait vécu, dit Walter Kane, longtemps employé au service de Hughes.

---

[1] N.D.T. : dans l'Histoire sainte : les illuminés.

La plupart de ces inventions furent des retombées imprévues de la Machinerie du Secret. L'absence de faits était comblée par la fiction. Le secret engendra des mythes, et les mythes se multiplièrent incestueusement. L'invisible et l'inconnu fascinent et effraient. Ce que des gens croyaient apercevoir dans le Loch Ness, et que personne ne put découvrir, devait absolument être un monstre. Les bizarres objets lumineux qui traversaient le ciel sans jamais atterrir devinrent des soucoupes volantes, puis des vaisseaux spatiaux venus d'autres galaxies, puis les véhicules des dieux.

Howard Hughes a réellement existé et c'est l'un des personnages les plus étranges de son temps. Né le 24 décembre 1905, il disparut de la scène publique à environ cinquante-cinq ans, et mourut le 5 avril 1976 dans un avion qui l'emmenait à un hôpital de Houston, au Texas. Sa carrière avant qu'il disparaisse derrière sa Machinerie du Secret est tellement connue qu'elle demande tout au plus un résumé succinct. Jeune encore, il hérita de son père d'une florissante fabrique de trépans pour les forages pétroliers, la Hughes Tool Co. Au début de sa carrière, il fit du cinéma — ses films les plus connus sont : *Les Anges de l'enfer, Scarfare et Le Banni.* Ce fut un passionné d'aviation, un excellent pilote qui établit de nombreux records, construisit le plus gros hydravion du monde et fonda une compagnie aérienne internationale, la T.W.A.

Il intrigua beaucoup de gens, provoqua l'hostilité de beaucoup d'autres, fut l'objet d'un tissu serré de légendes, parce qu'il était un des hommes les plus riches du monde. Extrêmement capricieux, il méprisait la société, ses coutumes et ses lois ; il ne marchait au pas de personne, et se dérobait obstinément aux regards. Caché dans son repaire, il accumula comme par magie une fortune immense, pendant que le commun des mortels se pressait dans les métros ou sur les autoroutes pour gaspiller des moyens d'existence. On lui attribuait une stature de géant parce qu'il pouvait satisfaire ses moindres caprices. Son insatiable volonté de puissance suscitait des caprices sans fin, les uns absurdes mais innocents, d'autres machiavéliques et malfaisants. Ce qui le singularisait le plus, c'est que les caprices qu'il choisissait de satisfaire n'étaient pas ceux de tout le monde. Joan Didion, qui vécut près de son Q.G. de Romaine Street, ancien centre nerveux de la Machinerie du Secret, écrit dans *Slouching forwards Bethlehem :*

— On ne peut pas penser à Howard Hughes sans voir le gouffre apparemment insondable qui existe entre ce que nous disons vouloir et ce que nous voulons réellement, entre ce que nous admirons ouvertement et ce que nous désirons secrètement... Dans un pays qui semble de plus en plus priser les vertus grégaires, Howard Hughes demeure non pas seulement anti-social, mais encore souverainement, brillamment, superbement asocial. C'est le dernier « loup solitaire », il incarne un rêve que nous ne reconnaissons même plus.

Mais Hughes n'était pas réellement un « loup solitaire », au sens où c'était le chercheur d'or qui trouvait un bon filon, construisait un château au fin fond d'un lointain désert et l'entourait d'un mur sur lequel était écrit : « Défense d'approcher ! ». L'idée d'un Hughes grand fauve de la libre entreprise, bâtisseur solitaire d'une fortune, alliant un féroce individualisme à la hardiesse d'un joueur, n'est qu'un mythe ; un mythe qu'il a lui-même cultivé et exploité. Mais devant un certain nombre de tribunaux, Hughes apparut comme un « homme public », qui s'était introduit dans l'arène publique de sa propre initiative. Ses affaires étaient intimement liées à celles du gouvernement, que ce soit à l'échelon fédéral, à celui de l'État ou à celui des communautés locales, et Hughes avait voulu qu'il en soit ainsi, et il l'avait voulu pour la même raison que Willie Sutton volait les banques : parce que c'est là où se trouve l'argent.

Pendant trente ans, il a soutiré du trésor public des sommes colossales. Selon Donald Barlett et Jammes Steele, du *Knight News Service,* l'étude des dossiers officiels révèle qu'entre 1965 et 1975 les sociétés de Hughes ont obtenu pour plus de six milliards de contrats du gouvernement fédéral, soit une moyenne de un million sept cent mille dollars par jour. Hughes fut longtemps le bénéficiaire de faveurs, de licences, de franchises et de subventions payées par les deniers publics. L'accès à ces fonds lui était facilité par le versement de sommes d'argent à des hommes politiques et à des fonctionnaires.

Ce qu'il voulait, et ce qu'il fit effectivement, c'était s'enrichir aux dépens des fonds publics et grâce aux faveurs gouvernementales, alors même qu'il méprisait le public et défiait le gouvernement qui l'avait enrichi. Il y réussit grâce à sa Machinerie du Secret et en vivant, à partir de 1970, à l'extérieur des États-Unis, hors de l'atteinte des lois.

Ce pays a pu, au cours d'une même période de quatre ans, forcer son Vice-Président et son Président à démissionner, mais il n'a pas pu, au long d'un quart de siècle, forcer Hughes à se présenter devant un tribunal, ni à fournir une déposition sous serment, ni à comparaître devant aucune agence officielle. Personne ne peut assigner ou arrêter un homme invisible.

Les journalistes ont buté sur le même obstacle. Comment faire un reportage sur quelqu'un qu'on ne pouvait pas voir ? Et pourtant ils devaient essayer car beaucoup des secrets de Hughes touchaient le gouvernement et l'ensemble des citoyens et appartenaient donc au domaine public. Hughes ne voulait pas que quoi que ce soit fût écrit sur lui sans qu'il pût le contrôler. Pour satisfaire ce désir, le principal conseiller de Hughes, Chester Davis, créa en 1966 les Entreprises Rosemont Inc. Davis soutenait que « Rosemont avait l'exclusivité de l'utilisation et de la publication de tout document ayant trait à Hughes ».

La publication de tout article se rapportant à monsieur Hughes, continuait-il, serait une violation de ses droits, même si son contenu était présumé exact. S'affirmer propriétaire des événements de sa vie pour les soustraire à autrui, l'obsession du secret et de la propriété ne pouvait aller plus loin.

Un soir, au cours d'un dîner à Greenwich Village, Davis m'expliqua la théorie de la « batte de Joe DiMaggic ».

— Si tu veux fabriquer une batte de base-ball portant le nom de Joe DiMaggio, me dit Davis, il faut que tu obtiennes l'autorisation de DiMaggio et tu devras lui payer des droits.

Les livres étant, contrairement aux battes de base-ball, protégés par le premier amendement à la Constitution des États-Unis, les prétentions de Davis furent rejetées par tous les tribunaux auprès desquels les entreprises Rosemont intentèrent une action. Cependant, la firme de Davis continua à appliquer ce que le monde de l'édition avait fini par appeler la consigne du : « Ne vous y risquez pas ! ». Bien que légalement absurde, cette méthode pour faire avorter les livres n'est pas complètement inefficace. La simple perspective de devoir comparaître devant un tribunal contre les super-avocats de Hughes décourageait les éditeurs marginaux hésitants, ou incapables de financer un combat judiciaire qu'ils étaient pourtant certains de gagner.

Durant les dernières années de Hughes, la Machinerie du Secret reposait tout entière sur son équipe de « cadres supérieurs », la « Mafia mormone », la « Garde du Palais ». Ils étaient vraisemblablement les seuls à voir le milliardaire et à lui parler de vive voix. Ils le transportaient incognito, contrôlaient les appels téléphoniques et le courrier et défendaient les ultimes remparts de sa cachette.

Au moment de ce qui s'avéra une crise majeure, un tournant dans la vie de Hughes, son départ en avion de Las Vegas, ce groupe d'élite s'adjoignit quelques employés subalternes qui, eux aussi, virent Hughes et lui parlèrent. Ils avaient été engagés parce que cacher Hughes devenait simultanément plus difficile et plus nécessaire encore. La fonction essentielle de la « Garde du Palais » était de calmer la plus aiguë de toutes les peurs, manies, excentricités et folies de Hughes : sa scopophobie ou peur d'être observé.

La Machinerie eut des ratés durant la crise de 1970, fut réparée, tomba définitivement en panne après sa mort. Les deux fois, je reçus des confidences en raison de l'intérêt que je portais à Hughes depuis longtemps.

Depuis vingt ans, j'avais écrit sur Hughes dans beaucoup de magazines, je rendais compte de ses activités dans plusieurs journaux, dont le *New York Times* et j'avais accumulé un dossier de un mètre cinquante de haut sur Hughes, ses associés et ses entreprises. Quand j'ai commencé à écrire sur Hughes, l'un de ses agents essaya de m'acheter avec un chèque en blanc et l'offre de vols gratuits illimités sur T.W.A. J'ai refusé le seul pot-de-vin qui m'ait été offert de toute ma vie de journaliste. Ensuite, la Machinerie du Secret se contenta de me surveiller ; par deux fois les agents de Hughes obtinrent copie de mes manuscrits avant qu'ils ne parviennent à mes éditeurs.

Trois semaines après la mort de Hughes, je reçus un coup de téléphone tard dans la nuit. Ce coup de téléphone fut suivi, après certaines manoeuvres rituelles que tout ce qui touche à Hughes semble inspirer, d'une rencontre avec deux hommes, Gordon Margulis et Mell Stewart, qui m'ont apporté beaucoup d'éléments qui sont entrés dans ce livre. Margulis a été dix ans au service de Hughes, Stewart, quinze. Au début, ils se situaient à la périphérie du cercle intime de Hughes, mais durant ses dernières années, les plus soigneusement cachées, ils en faisaient partie. Ils ont vu Hughes, lui ont parlé, l'on soigné. À la fin, ce fut Margulis qui hissa le corps ravagé du milliardaire mourant dans l'avion de son ultime voyage.

À cause de la supercherie de Clifford Irving, des fictions, des fausses photographies et de toutes les contrefaçons qui entouraient la vie et l'univers de Hughes, je soumis les deux hommes à une série d'interrogatoires auxquels ils répondirent avec une admirable patience.

Ils avaient apporté certains documents. Ils me montrèrent des passeports portant les cachets d'entrée et de sortie des nombreux pays où ils avaient escorté Hughes durant ses dernières années. Ils connaissaient des gens que personne d'autre ne pouvait connaître, des incidents jamais divulgués, des dates impossibles à deviner. Souvent, ils connaissaient des événements survenus dans le petit monde de Hughes et que j'avais moi-même observés — de l'extérieur — et les deux versions concordaient exactement. La preuve la plus flagrante que je n'avais pas affaire à des imposteurs fut que les directeurs de la Summa Corporation, apprenant que Margulis et Stewart parlaient à un journaliste, les convoquèrent au siège social où on leur demanda de se présenter devant le conseil d'administration au complet. Tous deux refusèrent.

Ce livre raconte ce qu'ils ont vécu dans l'intimité de Hughes. Pour la première fois, ils ouvrent la porte que la Machinerie du Secret maintenait cadenassée et gardée.

Ils ont vu Hughes comme seulement une poignée d'hommes l'a jamais vu, ils en vinrent à le prendre en pitié et ils ont voulu dire pourquoi. Parmi cette poignée d'hommes, certains sont liés par leur loyauté envers la Summa Corporation, ou sont tenus par des contrats qui ne lient pas Stewart et Margulis.

Enfermés avec Hughes, ils n'avaient qu'une connaissance limitée de son empire. Paradoxalement, c'était bien souvent aussi le cas de Howard Hughes. Quoi qu'il en soit, ce qu'ils possédaient a une valeur particulière : la familiarité avec l'homme plutôt qu'avec l'Homme, avec la personne plutôt qu'avec la Légende.

L'auteur revendique l'orientation et l'esprit de ce livre, et un certain nombre de faits jusqu'ici non dévoilés. Certains de ces faits viennent de sources qui ne peuvent être révélées. Cette pratique, que généralement je réprouve comme journaliste, est ici nécessaire pour éviter d'éventuelles représailles. Mes sources se reconnaîtront et ont toute ma gratitude.

Je remercie particulièrement Gordon Margulis, Mell Stewart et Wallace Turner, chef de l'agence du *New York Times* à San Francisco et expert-Hughes de ce journal. Pendant des années nous avons suivi Hughes à la trace, quelquefois en rivaux et quelquefois ensemble. Mon respect pour lui et mes remerciements pour son aide sont grands.

Il savait mieux que la plupart des journalistes combien d'aspects de la vie de Hughes étaient cachés et ignorés, et combien il fallait que cela fût mis en lumière dans un pays qui se veut ouvert et indépendant. Hughes a donné l'exemple des duperies et des manipulations qui, généralisées, ont causé des convulsions à l'échelle nationale.

— Un de ces jours, tout ça va être mis en lumière, disait souvent Turner, reprenant ainsi le credo de tout vrai journaliste.

Ce livre est le début de cette mise en lumière.

J'ai rencontré un voyageur venant d'un pays lointain
Qui m'a dit : Deux immenses jambes de pierre
sans tronc
Se dressent dans le désert. Près d'elles sur le sable,
À demi enfoui, gît un visage fracassé...
Et sur le piédestal on peut lire ces mots :
« Mon nom est Ozymandias, roi des rois.
Contemple mon oeuvre, ô Tout-Puissant, et perds tout
espoir ! »
Il ne reste rien alentour. Autour des ruines
De cette épave colossale, illimitée et nue,
Le sable uni et solitaire s'étend jusqu'à l'horizon.

Tiré de *Ozymandias en Égypte* de P.B. Shelley.

1
MORT D'UN MILLIARDAIRE

Le corps nu, immobile sur le lit, était celui de Howard Robard Hughes, l'un des hommes les plus riches du monde. Le samedi 3 avril 1976, moins de quarante-huit heures avant la fin, il agonisait de la façon dont il avait vécu : secrètement et dans un isolement incroyable.

Aucun des gestes ou des rituels des humains envers leurs mourants n'accompagnèrent ses dernières heures. Il n'y eut ni fleurs, ni voeux de rétablissement, ni coups de téléphone amicaux : il n'avait pas d'amis parce qu'il n'en avait jamais voulu. Personne, à l'exception d'un tout petit groupe d'hommes silencieux, ne savait même qu'il était malade.

Il gisait, caché dans la dernière des pièces obscures qui lui servaient de demeures depuis des années. La chambre, qui faisait partie d'une suite du vingtième étage de l'hôtel Princess à Acapulco, était différente de toutes celles qui l'avaient précédée. De lourds rideaux, dont les bords étaient fixés au mur par du ruban adhésif, l'isolaient du monde extérieur. L'Acapulco Princess est un hôtel de luxe de la station balnéaire mexicaine que fréquentent les riches du monde entier. Mais ni le tintamarre joyeux ni les scènes insouciantes de la plage et des jardins tropicaux paysagés ne pénétraient dans la chambre hermétiquement close. C'était un univers noir, silencieux, hors du temps, une chambre qui aurait pu se trouver n'importe où ou nulle part, ou dans un roman de Kafka.

En face de Hughes, au pied du lit, comme toujours, se trouvait son écran de cinéma. Derrière son lit, comme toujours, il y avait son projecteur. Le long du lit, l'amplificateur spécial pour la bande sonore du film, avec ses commandes à portée de la main. Pendant des années, il avait regardé des films au lit, plongé dans une série de mondes à deux dimensions qu'il choisissait et contrôlait entièrement lui-même. Il repassait sans cesse ses films favoris, augmentant le son pour pallier sa surdité croissante, le dialogue éclatant dans la pièce assombrie. Il avait fait passer son préféré, *Station glaciaire Zebra,* plus de 150 fois, jusqu'à ce que ses hommes connaissent la bande par coeur. Mais maintenant l'écran était vide, l'amplificateur silencieux.

Près de son lit, il y avait les paquets de ce qu'il appelait son « isolant », des boîtes sans cesse remplies de Kleenex et de serviettes en papier dont il se servait pour se protéger du monde réel, sale et chaotique.

Il se cachait ainsi dans des chambres obscurcies depuis plus de quinze ans, ce qui avait donné lieu à tout un folklore, à toutes sortes de mythes et de légendes inventés pour expliquer pourquoi il était devenu l'homme invisible le plus connu du monde.

Il ressemblait à une horrible gargouille, à une figure de cauchemar que sa propre négligence et ses bizarres habitudes alimentaires avaient émaciée, hirsute, jamais rasée, ravagée par les médicaments. Dix ans plus tôt déjà, selon un témoin qui le voyait pour la première fois, on aurait dit « le frère d'une sorcière ». Les derniers mois, son apparence avait encore empiré. Son corps famélique, déshydraté et atrophié, n'était plus qu'un pitoyable squelette, semblable aux victimes de Dachau et de Buchenwald. Il pesait à peine quarante kilos. Sa taille, qui avait été d'un mètre quatre-vingt-seize, avait diminué de six centimètres. Ses jambes et ses bras, pas plus épais que des tuyaux de pipes, étaient si fragiles qu'un enfant aurait pu les briser comme des allumettes. Son dos portait deux grosses escarres qui le faisaient souffrir depuis des années. Le pelvis, n'étant plus enrobé de chair, était saillant et pointu. Sur son côté droit, on voyait les contours de la broche métallique dont on avait, tant bien que mal, réparé le col du fémur qu'il s'était cassé en tombant plus de deux ans auparavant. Il n'avait pas fait un pas depuis lors, ni essayé de faire les exercices prescrits par le chirurgien. En conséquence, son genou droit s'était ankylosé, et il pouvait à peine plier la jambe.

La tension était inquiétante, si basse que le lendemain le médecin fut incapable de trouver le pouls à son poignet amaigri. Sa peau, parcheminée, exsangue, avait la cireuse apparence de la mort.

Un de ses hommes, Gordon Margulis, entra dans la chambre. C'était un Anglais de quarante ans, athlétique, large d'épaules et mince de taille, calme, sûr de soi. Il était au service de Howard Hughes depuis dix ans. Depuis que ce dernier s'était fracturé la hanche, c'est Margulis qui le portait chaque fois qu'il avait besoin de quitter son lit.

Margulis savait que pénétrer dans la chambre sans y avoir été appelé constituait une violation des règles du petit monde de Hughes. Mais depuis sept semaines, depuis que Hughes et son escorte avaient, à l'improviste, quitté les Bahamas pour Acapulco, Margulis sentait que quelque chose n'allait pas, sentait planer une menace. Hughes dérivait tout simplement vers la mort et personne ne voulait faire face à la situation ni prendre une décision comme Margulis l'expliqua plus tard :

— Je me suis dit : les règlements peuvent très bien aller se faire foutre !

Margulis se tenait à l'intérieur de la chambre, près de la porte, à environ quatre mètres de son employeur. Il distinguait les faibles mouvements de la poitrine amaigrie. Il regarda l'homme pendant quatre ou cinq minutes. Puis Hughes ouvrit les yeux et fixa longtemps le plafond. Finalement, il tourna la tête vers la gauche, sans voir Margulis. Il tendit un bras décharné vers une boîte de Kleenex et prit une seringue hypodermique glissée sous le couvercle ouvert. Elle était remplie d'un liquide clair ; Hughes la tint un moment dans sa main gauche et la contempla, puis il la fit tourner plusieurs fois et l'inclina, comme pour s'assurer qu'elle était bien pleine. Alors il enfonça l'aiguille latéralement dans son bras droit, le long du biceps rétréci.

Apparemment, ce mouvement l'avait épuisé. Il tripota le piston mais ne put appuyer dessus. Il essaya plusieurs fois et abandonna ; la seringue resta un moment suspendue à son bras, puis tomba sur le lit.

Margulis tourna les talons et retourna dans la pièce voisine, qu'on appelait le Bureau.

Comme celle de la chambre, sa disposition était conforme à des normes préétablies. Le Bureau était le quartier général des six assistants de Hughes. Il se trouvait toujours juste à côté de la chambre de Hughes et était toujours isolé des autres pièces. Ces plans avaient été conçus à Las Vegas dix années auparavant, quand Hughes s'était installé, sans que personne le sache, au neuvième étage du Desert Inn, pour y rester quatre ans. Dans tous les déplacements qui suivirent, de Las Vegas à Nassau, de Nassau au Nicaragua puis à Vancouver, de nouveau au Nicaragua puis à Londres, aux Bahamas et finalement à Acapulco, la disposition des pièces avait toujours été la même. Le quartier général était isolé au sommet d'un hôtel, un garde armé près de l'ascenseur, devant une porte fermée à clef qui donnait accès au reste de l'étage. À chaque fois que la disposition de l'hôtel ne permettait pas cet arrangement, on construisait une cloison spéciale pour isoler la suite du palier de l'ascenseur. Le garde lui-même n'était pas admis dans le saint des saints. De son bureau, il n'autorisait l'entrée dans la suite qu'aux membres de l'entourage immédiat. Il surveillait également le toit et les issues de secours sur un circuit fermé de télévision. À l'intérieur de la suite, le Bureau était fermé à clef; il fallait le traverser pour parvenir à la chambre de Howard Hughes.

Quand l'existence des «assistants» fut connue, la presse baptisa cette petite élite la «Garde du Palais» et la «Mafia mormone».

—Ces hommes sont muets comme des tombes, dit un journaliste qui eut l'occasion de manger avec quatre d'entre eux. Ils donnent l'impression que si on leur demandait si Hughes avait une tête et deux bras, ils refuseraient de répondre.

Il y avait toujours au moins un assistant de service, vingt-quatre heures par jour, sept jours par semaine. Ce jour-là, c'était George Francom, le préféré de Gordon Margulis.

—Il est réveillé, George, lui dit Gordon. Il essaie de se faire une piqûre.

Tous deux pénétrèrent dans la chambre. Hughes, presque sourd sans appareil, ne les entendit pas entrer. Francom s'approcha du lit. Hughes tourna la tête et le regarda.

— Je n'ai pas pu, dit-il avec un faible gestes vers son bras droit.

Il ne s'était pas rendu compte que la seringue était tombée de son bras.

— Donnez-la moi, George.

Francom secoua la tête :

— C'est à un médecin de faire ça, dit-il.

Bien que Hughes ne pût l'entendre, il vit son geste de dénégation. Il se tourna alors vers Margulis :

— Donne-moi tout ça, Gordon, ordonna-t-il.

— Il ne faut pas plaisanter avec ça ! dit Gordon à Francom avant de se retourner pour sortir.

— Eh, Gordon ! appela faiblement Hughes.

Margulis quitta la pièce. Francom le rejoignit dans le Bureau peu après, secouant la tête d'un air malheureux. Il décrocha le téléphone et parla d'un ton grave. Un instant plus tard, l'un des trois médecins de garde frappa à la porte du Bureau et entra. Il pénétra dans la chambre de Hughes et y demeura un long moment.

Gordon le laissa seul. Il connaissait l'existence des piqûres depuis des années. L'une de ses tâches était de voir à ce que Hughes se nourrisse à peu près normalement, et un jour, il avait par hasard découvert Hughes une seringue à la main. Au début, à chaque fois qu'il voyait Gordon, Hughes cachait la seringue, mais il abandonna bientôt ce manège et se piqua ouvertement devant lui. Il se piquait sans surveillance médicale, ce qui, Gordon le savait, n'est pas recommandé. Hughes s'enfonçait la seringue dans le bras et aussi dans l'aine, à l'intérieur de la cuisse, habitude qui faisait frémir Gordon.

La seringue était cachée dans une boîte de Kleenex spéciale ; et ce qu'il appelait « ma pharmacie » dans une boîte en fer blanc. Margulis ne savait pas ce qu'il mettait dans la seringue, ni quels médicaments ou quelles pilules il y avait dans la boîte de fer blanc. Son meilleur ami dans l'entourage de Hughes, Mell Stewart, servait d'infirmier, mais il n'en savait guère plus que Margulis. Stewart lui avait dit que Hughes consommait d'effroyables quantités d'Empirine, analgésique courant qu'on obtient sans ordonnance, et d'Empirine-codéine, pour laquelle il fallait une ordonnance car la codéine est un dérivé de l'opium. Stewart dit à Margulis que, ces dernières années, Hughes s'était mis, ou avait été mis, au Valium, médicament alors nouveau, et que cela l'étonnait.

Le Valium est utilisé contre la tension, mais il a aussi, sur certaines personnes, l'effet d'un soporifique puissant. Il fait baisser la tension et réduit la lucidité. On le considère comme une drogue dangereuse et il n'est vendu que sur prescription médicale. On l'administre normalement sous forme de minuscules tablettes de cinq milligrammes, ou même de demi-tablettes, car certaines personnes réagissent beaucoup à de faibles doses. Il y avait des moments où Hughes dormait, ou sombrait dans un coma dû aux drogues, pendant vingt-quatre ou quarante-huit heures d'affilée.

Comme le notèrent Stewart et Margulis, il avait aussi des périodes de surexcitation. Il était alors exactement à l'opposé de l'état comateux dû au Valium. Il était éveillé et agité, chantonnait sans arrêt et se tenait à lui-même des discours sans suite. Plus tôt dans la journée, il avait répété sans arrêt quelque chose au sujet de polices d'assurances. Francom avait dit à Margulis que c'était peut-être important et lui avait demandé d'aller chercher un magnétophone. Mais quand Margulis revint avec l'appareil, Hughes était retombé dans le silence.

Les médicaments de Hughes étaient du ressort de ses médecins, ou du moins de certains d'entre eux. Il y en avait quatre dans son escorte, mais ils n'avaient pas le même rôle et n'étaient pas toujours d'accord sur les soins à donner à leur patient. Il y avait eu des histoires avec l'un d'entre eux parce qu'il avait refusé de faire la demande officielle d'un permis pour prescrire des narcotiques, ce qui avait mis Hughes en colère.

— Congédiez-moi ce salaud-là ! ordonna-t-il.

Puis il ajouta, comme il le faisait toujours quand quelqu'un l'avait approché de très près :

— Mais continuez à le payer...

En continuant à payer des gens qu'il avait congédiés, il gardait barre sur eux, de sorte qu'ils ne pouvaient aller divulguer ses secrets. Son passé était ainsi jalonné d'un nombre impressionnant d'hommes et de femmes qu'il continuait à payer. C'est pourquoi le médecin « congédié » était resté dans l'entourage, et un nouveau médecin, détenteur d'un permis de narcotiques, fut engagé. Gordon n'était même pas sûr qu'on ait signifié son « congé » au médecin récalcitrant. Mettre quelqu'un à la porte et continuer à le payer n'avaient pas de sens, sauf pour Hughes, qui semblait considérer cela comme un double signe de sa volonté et de sa puissance.

D'autres personnes de la « Garde du Palais » étaient aussi mêlées à ces histoires de médicaments et de boîte de pharmacie, comme l'observèrent Stewart et Margulis. De temps à autres, certains aides de camp apportaient des paquets ou des enveloppes scellés pour remplacer ou compléter son contenu. On en parlait d'une façon humoristique comme des friandises du patron.

Ces hommes faisaient cela et d'autres choses étranges sans les expliquer aux autres personnes de l'entourage. Le monde de Hughes était extrêmement hiérarchisé et aussi compartimenté que la C.I.A. Les ordres venaient de quelqu'un, soit de Hughes, soit de son lointain et presque invisible « premier ministre », Frank William (Bill) Gay. Ils étaient transmis par la voie hiérarchique et exécutés sans que les autres services soient informés. Ceux qui les recevaient et les exécutaient ne savaient généralement pas qui les avait donnés.

Gay était le troisième « premier ministre » ou bras droit administratif de Howard Hughes, en cinquante ans. Le premier avait été Noah Dietrich, génie financier trapu aux cheveux blancs qui se proclamait l'« exécuteur » de Hughes et l'avait servi pendant trente-deux ans. Lui et Hughes se quittèrent ennemis en 1957. Après le départ de Dictrich, Gay s'était régulièrement élevé vers le poste vacant de « premier ministre ». En 1957, à la surprise de ses proches, Hughes avait donné le poste à Robert-Aimé Maheu. Bob Maheu était un « expert-conseil » jovial et bien introduit dans les cercles dirigeants de Washington et même, discrètement, à la C.I.A. Maheu devait perdre son poste en décembre 1970 à la suite d'intrigues byzantines dans lesquelles Gay avait joué un rôle prépondérant. Gay s'était ensuite rapidement élevé vers le poste qu'il avait contribué à rendre vacant.

Alors que Hughes était sur son lit de mort à Acapulco, il y avait cinq ans que Gay tenait les rênes de son empire. Dignitaire de l'Église mormone, il avait placé des coreligionnaires aux postes clefs de l'empire, en particulier dans la Garde du Palais. Taciturne et réservé, Gay évitait les journalistes et se montrait peu en public. Il était arrivé à la tête de l'empire en partant pratiquement du bas de l'échelle ; il avait commencé comme modeste chauffeur de la secrétaire particulière de Hughes, Nadine Henley, dans les années 40.

Gay était maintenant vice-président de la Summa Corporation, la société mère qui gérait pratiquement tous les intérêts du milliardaire. Il était le plus ancien des trois membres du comité exécutif qui gérait Summa. Le second membre de ce puissant triumvirat était Nadine Henley qui s'était aussi élevée insensiblement dans l'empire de Hughes. De l'intérieur, on avait observé et envié la manière dont Gay et madame Henley avaient escaladé ensemble l'échelle, en se portant aide et assistance mutuelles.

— Nadine considère Bill Gay comme le fils qu'elle n'a jamais eu, dit un membre de la Summa, c'est elle qui l'a formé.

Le fait qu'ils aient eu des débuts aussi modestes ne voulait pas dire que ce n'était pas des gens de valeur.

— Bill Gay ne paie peut-être pas de mine, dit un ex-employé de Hughes, mais pour ce qui est de tirer son épingle du jeu dans les intrigues des grandes compagnies, c'est un as. Quant à Nadine, elle a le charme d'un Richelieu, un ordinateur en guise de cerveau et une mémoire d'éléphant.

Le troisième homme du triumvirat était Chester Davis, directeur de la firme d'avocats de New York, Davis and Cox, et principal avocat de la Summa. Davis était un homme de loi brillant et corrosif, à l'esprit vif et à la dent dure. Son pouvoir dans l'empire de Hughes venait de la manière dont il avait réglé le litige entre Hughes et la communauté financière de l'Est à propos de la T.W.A. Il avait perdu tous les procès jusqu'à ce qu'il parvienne devant la Cour suprême des États-Unis. Alors, par un étonnant revirement de situation, la Cour suprême annula un jugement par contumace rendu contre

Hughes qui lui faisait perdre, avec les amendes et les intérêts, plus de cent soixante millions de dollars. La position de Davis était, en conséquence, très comparable à celle du jockey qui coiffe tous ses adversaires au poteau. Il était devenu intouchable.

Hughes était le seul détenteur d'actions de la Summa. Mais le triumvirat les gérait d'un quartier général discret situé dans un immeuble de bureaux à Encino, Californie, un faubourg de Los Angeles. Ses décisions étaient ostensiblement soumises à l'approbation du conseil d'administration de la Summa. Mais l'équipe Davis-Gay-Henley constituait une majorité au sein du conseil, qui comptait cinq membres. Les deux autres étaient des membres de la Garde du Palais, John Holmes et Levar Myler. Tous deux, comme les autres assistants, devaient leur poste à Bill Gay.

Cette structure simple (étant donné que Hughes possédait l'ensemble de Summa) donnait au triumvirat d'Encino un pouvoir quasi absolu, dont on ne trouverait l'équivalent dans aucune des plus grandes entreprises américaines. Hughes, seul possesseur des actions, avait seul droit de regard sur la comptabilité... et cet unique actionnaire était séparé du monde et dépendait entièrement, pour obtenir des informations, d'une Garde du Palais fidèle à Bill Gay et à madame Henley qui la commandaient.

La communication entre Encino et le milliardaire isolé passait par un homme appelé Kay Glenn. Glenn était un célibataire dans la quarantaine, assez porté sur les attitudes suaves. Il tenait les cordons de la bourse de l'escorte de Hughes, était le représentant de Gay et le surveillant de la Garde du Palais. Glenn était établi à Encino avec Bill Gay, mais il faisait l'aller et retour entre

Encino et l'escorte voyageuse lorsque le besoin s'en faisait sentir.

Les six assistants de la Garde du Palais commandaient l'escorte. Ils avaient directement accès à Hughes de leur Bureau adjacent à sa chambre, et ils contrôlaient l'arrivée des informations aussi facilement que s'ils avaient eu un robinet à portée de la main. Par un standard téléphonique toujours installé près du Bureau où il y avait un employé en permanence, ils étaient directement reliés à Gay et à Nadine Henley, à Encino. Après son départ de Las Vegas en 1970, Hughes avait pratiquement renoncé à utiliser personnellement le téléphone.

La Garde du Palais comprenait John Holmes, premier assistant, puis Howard Eckersley, George Francom, Levar Myler, Clarence (Chuck) Waldron et James Rickard. Comme Bill Gay et Kay Glenn, tous étaient mormons, sauf Holmes qui était catholique. Petit groupe très uni dans le travail, la Garde du Palais était faite de personnalités très diverses.

Holmes était un solitaire extrêmement conservateur, près de ses sous, gros fumeur hors de la présence de Hughes : fumer était un des tabous de Hughes. Il y en avait bien d'autres : manger du porc, par exemple, ou le toucher sans utiliser d'« isolant ».

Eckersley était un extraverti sympathique et beau garçon qui s'entendait bien avec ses collègues. Il avait une nombreuse famille, des quantités de fils, de filles, de neveux, de nièces et de membres de sa belle-famille pour lesquels il cherchait constamment du travail chez Hughes. Il avait un faible pour les « gros coups » en affaires, et sa faveur avait décliné quand une entreprise minière qu'il avait lancée fit l'objet d'un énorme scandale au Canadian Stock Exchange.

Levar Myler était austère, avait du ventre, portait lunettes, et souffrait de temps à autre d'accès de goutte. La plupart du temps, quand il n'était pas de service, il restait seul, à la grande satisfaction de ses collègues. On ne lui connaissait qu'un vice: c'était un effroyable consommateur de Coca-Cola.

Francom, amical, pas du tout agressif, était aimé de tout le monde. C'était un mormon sincère qui utilisait ses loisirs à lire des livres sur la religion, à pratiquer la pêche sous-marine dans les eaux tropicales des Bahamas et d'Acapulco et à faire de grandes promenades dans la nature.

Waldron était le dernier arrivé dans la Garde du Palais. C'était un ami intime de Kay Glenn, et il consacrait des heures à son apparence et à sa garde-robe. À l'inverse des autres employés de Hughes qui s'effaçaient en public, Waldron recherchait l'attention et essayait d'impressionner le public en dépensant énormément d'argent. Il était aussi sujet à des écarts de conduite qui embarrassaient ses collègues: parfois il se mettait à chanter d'une voix de fausset, à danser seul dans des lieux publics ou à imiter le hennissement du cheval ou l'aboiement d'un chien.

Le sixième assistant était Jim Rickard. Il avait jadis travaillé comme bûcheron dans le Montana et avait été gérant de cinéma dans une petite ville. À ses débuts dans l'organisation Hughes, il était chauffeur d'une Chevrolet à l'ancien quartier général de Hughes, à 7000, Romaine Street, à Hollywood.

Romaine, comme on l'appelait dans tout l'empire Hughes, fut le légendaire «centre de communications» du milliardaire dans les années 50 et 60. C'était alors comme une sorte de St-Cyr ou de West Point qui formait les futurs officiers des légions de Hughes. Après avoir été chauffeur de Nadine Henley, Bill Gay obtint la direction des chauffeurs et des messagers de Romaine à l'époque où c'était le centre nerveux de l'empire. Parmi les détracteurs de Hughes, on appelait Gay le « roi des conducteurs de Chevrolet », et les hommes loyaux et taciturnes qui formaient la Garde du Palais, les « débiles de Gay ».

Pas plus que Bill Gay et Nadine Henley, aucun de ceux qui formaient la Garde du Palais n'avait une grande expérience des affaires et des responsabilités. Holmes, par exemple, était représentant en potato-chips, Myler mécanicien dans l'aviation ; il avait débuté dans l'organisation Hughes comme chauffeur de Jean Peters, alors madame Hughes. Par leur loyauté inébranlable à Bill Gay, le marchand de frites et l'ancien chauffeur s'étaient élevés à des postes de direction dans un immense empire industriel, avec des salaires de cent dix mille dollars par an et des notes de frais et des boni somptueux.

Quatre médecins et une poignée d'employés complétaient l'escorte. Le docteur Norman F. Crane, spécialiste de médecine interne de Beverley Hills, était le médecin à plein temps, depuis plus de dix ans. Le plus ancien des médecins en titre était le Dr Lawrence Chaffin, chirurgien californien connu qui avait soigné Hughes après l'accident presque fatal qu'il avait eu aux commandes d'un avion expérimental à Beverley Hills en 1946. Le Dr Chaffin, âgé de quatre-vingt-trois ans et jouissant d'une grosse fortune personnelle, avait récemment repris le service dans l'équipe de Hughes. Le troisième médecin était le Dr Homer Clark, pathologiste de Salt Lake City, qui avait dirigé un programme de collecte de sang extrêmement complexe pour Hughes. Il fut un temps où Hughes, à Las Vegas, avait besoin de transfusions périodiques ; il avait dicté des instructions très précises quant aux personnes dont le sang lui serait transfusé. Le quatrième médecin, le plus récent dans le service, était le

Dr Wilbur Thain, omnipraticien de Logan, dans l'Utah. Il y avait abandonné une clientèle prospère pour faire partie à plein temps de l'escorte de Hughes. Tous deux avaient un lien de parenté avec l'équipe directoriale d'Encino : le Dr Clark était le frère de Randy Clark, un des adjoints administratifs de Bill Gay, alors que le Dr Thain était le beau-frère de Gay et avait été chauffeur de Chevrolet à Romaine avant de s'inscrire à la faculté de médecine.

Cinq employés complétaient l'escorte ; c'étaient Eric Bundy qui s'occupait du standard téléphonique, Gordon Margulis, Mell Stewart, Clyde Crow et Jack Real. Crow était le remplaçant de Stewart ; Jack Real était « l'aviateur » : il devait noliser des avions à réaction privés pour tous les déplacements de la suite, ou pour les entrées et sorties des États-Unis des directeurs de Hughes.

Margulis, Stewart et Real étaient des exceptions dans l'entourage de Hughes : ce n'était pas Bill Gay qui les avait placés là, mais Hughes qui les avait réclamés. Ils lui devaient leur emploi à lui personnellement et non au triumvirat de Summa ; ils vivaient sur un pied amical avec le milliardaire.

Margulis et Stewart étaient amis intimes depuis longtemps, en dépit de leurs origines très différentes. Margulis avait quitté Londres pour les États-Unis en 1965 et avait gardé un accent cockney qu'il pouvait à volonté épaissir jusqu'à le rendre parfaitement incompréhensible. Il avait aimé les États-Unis et, peu après son arrivée, était parti faire un grand voyage à travers le pays. Arrivé à Las Vegas, la ville l'avait fasciné : un de ses oncles avait été le meilleur « tick-tack man »[1] d'Angleterre. Margulis avait

[1] N.D.T. : Aide de bookmaker chargé d'envoyer à son chef, au moyen de signaux manuels, les cours des grands « books ».

trouvé un emploi de « busboy » au Desert Inn sans rien savoir du travail d'un busboy, et était rapidement devenu serveur. Il avait été choisi pour le service de la suite de Hughes peu après l'arrivée de celui-ci parce qu'il était silencieux, poli, discret et dur à la tâche.

Stewart était un ex-coiffeur et infirmier mormon, le type même du « bon garçon », simple et franc. Il avait la perspicacité des habitants de petites villes. En 1961, Hughes s'était défait de son coiffeur habituel qui s'était rendu *persona non grata* en racontant quelques innocentes histoires sur Hughes à un journaliste de *Life*. Après enquête, suivie d'une longue séance d'instruction, Stewart avait été choisi pour couper les cheveux de Hughes. Hughes l'avait apprécié, et comme tous ceux qui avaient des contacts personnels avec lui, Stewart fut embrigadé dans l'organisation et « mis en attente », c'est-à-dire qu'on pouvait faire appel à lui chaque fois que le milliardaire déciderait qu'il avait besoin de ses services. Petit à petit, il s'était élevé d'un service à temps partiel à la position d'homme de confiance et d'infirmier à plein temps.

Jack Real était le seul membre de l'escorte à avoir un passé d'homme d'affaires. Ami de Hughes depuis des années, il avait été vice-président de Lockheed, la société de construction aéronautique préférée de Hughes. Avant qu'il commençât à décliner, Hughes aimait parler d'avions, de vieux appareils, de ses propres modèles et des avions à réaction les plus récents, et Jack Real était un bon interlocuteur.

Certains membres de la Garde du Palais étaient jaloux de Real, de Margulis et de Stewart.

— Ils essayaient toujours de semer la discorde entre nous, dit Margulis ; ils dénigraient Mell devant moi, espérant que je me plaindrais de lui à Hughes, et ensuite me dénigraient auprès de Mell et critiquaient Jack Real auprès de nous deux. Ils n'avaient pas réfléchi que nous pouvions nous réunir après et comparer ce qu'ils nous avaient dit. N'eût été de monsieur Hughes, nous serions partis depuis longtemps. Mais quand nous n'étions pas de service pendant un moment, Hughes demandait : « Où est Gordon, où est Mell ? » À part ça, nous faisions notre travail sans rien dire, pour ne nous mettre personne à dos. Mais vers la fin, je n'étais vraiment pas dans mon assiette !

Le déménagement soudain de Freeport à Acapulco avait chambardé pratiquement tout le monde. Ça semblait vraiment absurde. Personne ne savait pourquoi on amenait Hughes, qui n'allait pas bien du tout, dans ce terrain de jeux pour adultes, ou ceux qui le savaient ne soufflaient mot. En plus, pour arranger les choses, personne de l'escorte ne parlait espagnol !

Kay Glenn et Chuck Waldron étaient partis à Acapulco en avant-garde. Quand le reste de l'escorte arriva de Freeport, son inquiétude grandit encore : la chaleur tropicale était plus forte que la climatisation de l'hôtel et transformait les chambres en bain de vapeur. Le milliardaire déclinant souffrait tant de la chaleur, qu'il fallut installer un climatiseur portatif supplémentaire. Les communications, efficaces à Freeport, fonctionnaient plutôt mal à Acapulco. Parfois, le téléphone était muet, et il fallait une heure pour obtenir la communication avec les États-Unis. Aucun des médecins n'avait le droit de pratiquer au Mexique, et les hôpitaux locaux n'étaient pas équipés pour des traitements complexes. Normalement, l'escorte se déplaçait avec un important équipement médical de secours qui, cette fois, n'avait pas suivi.

— Nous nous sommes réunis pour discuter du désastre et y trouver des remèdes, mais personne n'a rien fait, dit

Margulis. Jusqu'à la fin du séjour à Freeport, Hughes avait mieux mangé qu'il ne le faisait depuis des années. Je lui avais refait manger des steaks en les lui cuisant en ragoût, et j'avais acheté tout un filet de boeuf. Il mangeait comme un ogre — pour lui — mais les tout derniers mois, il avait presque cessé de manger. À Acapulco ce fut pire.

Margulis et Stewart discutèrent de cette perte soudaine d'appétit. Stewart, qui avait quelques connaissances en pharmacie, se demandait si les périodes de surexcitation que connaissait Hughes (chantonnements et paroles sans suite) n'étaient pas produites par les amphétamines. Si c'était le cas, cela pouvait expliquer la perte d'appétit, puisque les amphétamines sont des suppresseurs d'appétit notoires, fréquemment prescrits pour les régimes amaigrissants.

— S'il y avait une chose dont Hughes, qui mangeait irrégulièrement, et du bout des lèvres dans ses meilleurs jours, n'avait pas besoin, dit Stewart à Margulis, c'était de pilules supprimant l'appétit.

Au milieu du mois de mars, Margulis eut deux semaines de congé et rentra en avion à Las Vegas les passer avec Pat, sa femme, et leur fils de cinq ans. Il avait eu une inflammation des gencives à Acapulco, mais les médecins lui avaient conseillé d'attendre et de se faire soigner aux États-Unis. De retour à Acapulco, il trouva Stewart grippé et atteint de diverticulis ; ce dernier partit à son tour en convalescence aux États-Unis.

— Je ne comprenais pas pourquoi on nous envoyait nous aux États-Unis nous faire soigner, alors qu'on gardait Hughes à Acapulco, dit Margulis.

Margulis revint à Acapulco au cours de la dernière semaine de vie de Hughes. Son impression quand il le revit fut pénible. Pendant l'absence de Margulis, Hughes était tombé de son lit, on ne savait comment, et s'était blessé à la tête. La chute avait arraché une tumeur d'un centimètre d'épaisseur qu'il avait depuis des années sur le crâne. La blessure avait été soignée par les médecins sans qu'on l'eût emmené à l'hôpital.

Hughes était terriblement amaigri. Gordon alla chercher Francom et lui dit : « Il faut faire quelque chose, autrement le patron va mourir. » Francom était également très inquiet.

— J'ai dit à monsieur Hughes que je ne l'avais jamais vu en si mauvaise forme, rapporta Francom ; il n'a pas réagi.

Hughes avait maintenant complètement cessé de manger.

— Il faut que nous lui fassions avaler quelque chose, insista Margulis. Bon Dieu, je le nourrirais à la petite cuillère si c'est cela qu'il veut !

Il en discuta avec un des assistants, qui repoussa la suggestion ; il aurait dit :

— Si on commence, ça n'en finira plus !

Périodiquement, Margulis apportait de l'eau à Hughes et essayait de le faire boire un peu, presque toujours en vain.

— J'ai réussi une fois à lui faire boire un peu de lait, et j'ai suggéré à Francom d'essayer de lui faire prendre un peu de consommé. Au moins, cela aurait été nourrissant, dit Gordon.

Francom approuva la suggestion et Margulis prépara une petite tasse de bouillon chaud. Il la porta à Hughes, qui était dans un de ses moments lucides, et insista pour que Margulis lui écrive sur un bout de papier ce qu'il y avait dans la tasse. Hughes refusa le bouillon et réclama « du dessert pour redonner du sucre à mon sang ». Toute sa vie, il avait aimé les sucreries et ne mangeait parfois, durant des semaines, que des bonbons, des biscuits et du lait.

Ce dont Hughes avait évidemment besoin, pensa Gordon, c'était d'être nourri de force par intra-veineuses, mais ce n'est que durant les dernières heures de sa vie que l'on essaya de le faire. Au cours des trois ultimes journées, Hughes ne prit que quelques gorgées d'eau et de lait avec quelques cuillerées de dessert.

— C'est en tout cas ce qu'ont dit les autres, dit Margulis, personnellement, je ne l'ai pas vu manger.

Les derniers jours, dans la chambre humide et sombre, les reins cessèrent de fonctionner et Hughes commença à faire de l'urémie. Il avait depuis des années la hantise des microbes, il avait fait des choses incroyables pour éviter toute contamination, et voilà que son propre corps le trahissait, et l'empoisonnait de l'intérieur, sans qu'un seul des médecins qui l'entouraient s'en aperçut. Il souffrait depuis longtemps d'un mauvais fonctionnement des reins et mettait parfois des heures à uriner. Comme le montra l'autopsie, ses reins étaient tellement atrophiés qu'ils ne faisaient plus que la moitié de leur taille et de leur poids normaux.

S'il n'est pas soigné, un mauvais fonctionnement des reins peut tuer un homme en bonne santé. L'empoisonnement urémique était déjà assez avancé quand les médecins le décelèrent grâce à une analyse de sang, mais on ne sait pas exactement quand cet examen eut lieu.

Un chirurgien d'Acapulco, qui servait de médecin particulier à de nombreux hôtels de la station, le Dr Victor Manuel Montemayor, fut appelé pour examiner Hughes quelques heures avant sa mort. On l'informa, dit-il, que l'examen du sang avait été fait trois jours avant, mais le Dr Chaffin, dans la seule interview qu'il donna après la mort de Hughes, dit à un journaliste du *New*

York Times qu'il avait ordonné un examen du sang et de l'urine la nuit précédant la mort de Hughes, affirmation confirmée par Margulis. Il dit aussi que cet examen urgent fut compliqué et retardé par des difficultés linguistiques :

— Quand les médecins décidèrent de faire faire les examens, dit Margulis, on appela une infirmière mexicaine pour prendre livraison des échantillons. Le sang devait passer pour celui de Mell Stewart, qui était déjà reparti chez lui en Utah. On suivait la procédure habituelle de ne rien laisser filtrer à l'extérieur au sujet de Hughes.

L'état de Hughes avait rendu la prise de sang extrêmement difficile: ses veines étaient rétrécies et glissantes. Quand il y eut enfin assez de sang pour l'analyse, son bras droit était plein de bleus.

Après, on n'arrivait pas à expliquer à l'infirmière quel genre d'analyse il fallait parce qu'elle ne parlait pas anglais et qu'aucun membre du groupe ne parlait espagnol.

Finalement, un des assistants se rappela qu'un des employés du bureau de la Summa, à Las Vegas, John Larsen, parlait espagnol. Larsen était le beau-frère de Chuck Waldron.

— Ils téléphonèrent à Larsen, ce qui prit encore du temps, dit Margulis.

Le Dr Chaffin était au téléphone du Bureau, l'infirmière à un deuxième téléphone dans le standard d'Eric Bundy, et tous deux étaient en communication avec Larsen à Las Vegas. Le médecin disait en anglais à Larsen ce qu'il voulait qui soit fait. Larsen lui posait des questions pour être sûr d'avoir bien compris les instructions, qu'il traduisait ensuite en espagnol à l'infirmière, qui était dans la pièce voisine du Dr Chaffin. Quand elle avait des questions à poser, elle le faisait en espagnol à Larsen à Las Vegas, et celui-ci les traduisait en anglais au Dr Chaffin. Et il fallait recommencer le même va-et-vient pour les réponses.

L'infirmière comprit finalement ce que voulaient les Américains et partit avec l'échantillon. Le Dr Chaffin dit au *New York Times* qu'il obtint les résultats à minuit (moins de quatorze heures avant la mort de Hughes) et qu'ils confirmaient son diagnostic préliminaire que les reins avaient cessé de fonctionner.

Des spécialistes dirent plus tard qu'il aurait fallu brancher Hughes sur un appareil de dialyse du rein. Ironiquement, l'institut médical Howard Hughes, en Floride, avait effectué des recherches considérables pour améliorer cette technique. Mais il n'y avait pas de machine de dialyse du rein à l'hôtel Acapulco Princess.

Il y a aussi des mystères. Quelques jours avant la mort de Hughes, le Dr Thain était parti pour la Floride et aucun membre de l'organisation Hughes ne put expliquer de manière satisfaisante pourquoi celui que l'on considérait comme le meilleur médecin de l'équipe avait délaissé le chevet de son patient dans les derniers jours de sa vie. Après la mort de Hughes, Thain refusa de parler aux journalistes.

— Même avant que les résultats de l'analyse arrivent, dit Margulis, tout le monde se demandait ce qu'il faudrait faire s'il mourait. Mais personne ne dit : « faisons quelque chose ». Nous nous sommes réunis et avons essayé de décider s'il fallait l'emmener en avion à Mexico, à Houston, aux Bermudes ou le ramener à Londres. Mais la réunion se termina sans qu'une décision soit prise.

Le dimanche, on décida de rappeler le Dr Thain à Acapulco. On demanda à Jack Real de trouver un avion, et les assistants apprirent de sa secrétaire où se trouvait le docteur. Tard dans la nuit de dimanche, l'avion prit le docteur à Fort Lauderdale et le ramena en toute hâte dans la ville mexicaine auprès de son patient mourant.

La dernière nuit, Margulis était épuisé.

— On voyait bien qu'il faudrait emmener Hughes quelque part, dit-il, et qu'il allait falloir lui faire sa toilette et lui donner meilleure apparence.

Les cheveux de Hughes lui tombaient sur les épaules, sa barbe était hirsute et mal taillée. Les ongles de ses doigts et de ses orteils n'avaient pas été coupés depuis des années, ils mesuraient près de trois centimètres de long, et s'étaient recourbés sur eux-mêmes. L'entourage de Hughes avait réussi à garder le secret sur le fait qu'il se négligeait à ce point. Un écho à sensation avait bien été publié en 1971 sur son apparence bizarre, mais il avait été démenti avec indignation. Deux fois Hughes avait vu des gens de l'extérieur (le dictateur Luis Somoza et l'ambassadeur des États-Unis au Nicaragua, Turner Shelton ; le gouverneur du Nevada, Mike O'Callaghan, et le président de la Commission de contrôle des jeux, Phil Hannafin, à Londres), chaque fois il avait été « pomponné ». Les histoires qui couraient sur son apparence peu soignée avaient été traitées d'inventions dénuées de tout fondement. Ce que personne ne savait, dans le monde extérieur, c'est qu'on avait habillé et coiffé Hughes juste avant ces deux réunions, et que ces deux séances étaient les deux seules qu'il eût autorisées en dix ans. Maintenant il était dans le coma, et incapable d'élever une objection.

Waldron le rasa de près et lui coupa les cheveux jusqu-au dessus de la ligne du col de chemise.

— Il a dû couper douze à quinze centimètres de cheveux dans le dos, dit Margulis. J'apportai de l'eau chaude et du savon, lui lavai les mains et les pieds et lui coupai les ongles.

Dimanche, dans la nuit, on reçut par avion de Los Angeles un équipement de nutrition intra-veineuse. La bouteille fut suspendue à un bâti improvisé avec un lampadaire, et on commença à le nourrir au goutte à goutte. Le bras droit de Hughes était tellement abîmé depuis la prise de sang qu'il fallut enfoncer l'aiguille du goutte à goutte dans son bras gauche. À trois heures du matin, le lundi, Margulis, qui n'avait pris aucun repos, tomba d'épuisement sur son lit. À ce moment, il n'avait pas encore vu Thain. À l'aube du lundi, moins de huit heures avant la mort de Hughes, les médecins décidèrent d'appeler de l'aide à l'extérieur. L'un d'entre eux appela le Dr Montemayor. Celui-ci arriva au chevet de Hughes à six heures du matin ; il passa deux heures à examiner le milliardaire et devait dire plus tard qu'il fut « horrifié » par son état.

On lui montra l'analyse de sang qui avait permis de déceler le mauvais fonctionnement des reins, et son propre examen lui montrait un Hughes effroyablement déshydraté, avec un pouls si faible qu'il ne pût pas prendre sa tension.

Les médecins lui expliquèrent, dit-il plus tard aux journalistes, que Hughes était un patient difficile, « qu'il refusait quelquefois les médicaments et la nourriture et qu'une fois qu'il avait dit non, c'était définitif : personne ne pouvait le faire changer d'avis ».

Le Dr Montemayor dit qu'il aurait agi autrement si Hughes avait été son patient :

— Si un patient a le délire, qu'il rejette l'aide du médecin, on ne doit tenir aucun compte de ses objections, dit-il aux journalistes, on doit lui porter secours. Si on m'avait appelé vendredi, j'aurais immédiatement ordonné son transfert. Il était évident qu'il n'avait pas le meilleur traitement possible à l'hôtel. Il n'aurait pu trouver le meilleur traitement que dans un hôpital.

Le Dr Montemayor eut beau insister qu'il fallait agir sans retard, des heures s'écoulèrent encore avant que l'on transportât le milliardaire. Jusqu'à la dernière minute, son entourage respecta la vieille routine du secret, du déguisement, du maquillage. Avant d'emmener Hughes, ils lui retinrent une suite à l'hôpital méthodiste de Houston sous le nom de J.T. Conover. Ils firent mettre une ambulance en attente à l'aéroport de Houston pour prendre en charge «un patient anonyme souffrant de diabète».

À neuf heures du matin, un aide de camp réveilla Gordon Margulis par téléphone et lui dit de venir immédiatement dans la chambre de Hughes. Margulis s'habilla à la hâte et se rendit au Bureau, où il fut témoin d'une scène qui frisait la panique:

— Ils s'affairaient tous dans la pièce comme un essaim de mouches bleues, à déchiqueter des papiers et des documents, dit-il.

Il entra dans la chambre. Pour la première fois depuis le début de la crise finale, Hughes portait un masque à oxygène relié à une énorme bouteille d'oxygène que Margulis n'avait jamais vue auparavant, deux fois plus grosse que l'équipement ordinaire transporté par l'escorte.

Un peu plus tard, on apprit qu'une ambulance attendait. On envoya un garde s'assurer qu'il n'y avait pas de badauds. Ce rituel observé, quelqu'un débrancha le masque à oxygène pour qu'on puisse transporter Hughes.

Gordon Margulis souleva le frêle septuagénaire qui ne pesait pas plus lourd qu'un enfant, et le mit sur un brancard. Lui et un assistant le portèrent jusqu'à l'ascenseur de service. Margulis courut dans la chambre, saisit l'énorme bonbonne d'oxygène, la mit dans l'ascenseur et le masque fut rebranché. Pendant la descente, l'ascenseur s'arrêtait presque à chaque étage, appelé par les femmes de ménage qui commençaient leur travail. Margulis se tenait à la porte, repoussant d'un geste les Mexicaines étonnées.

Ils mirent Hughes dans l'ambulance et foncèrent à l'aéroport. Margulis et un aide glissèrent le brancard à bord de l'avion, puis le réservoir d'oxygène. Dans leur hâte à relier le réservoir au masque, ils firent rouler la bonbonne sur le côté. Elle était équipée d'un niveau de contrôle liquide.

— Redressez la bonbonne, cria l'un des médecins, ou il va respirer de l'eau et nous allons le noyer !

Margulis s'agenouilla dans l'étroit fuselage et, d'une seule main, fit pivoter l'énorme bonbonne pour la remettre d'aplomb. Il sortit de l'avion à reculons pendant que les docteurs Chaffin et Thain, ainsi que John Holmes, montaient à bord. On verrouilla la porte et l'avion décolla, direction nord-est vers Houston, emportant Hughes mourant. De retour à l'hôtel, les assistants enlevèrent le ruban adhésif des rideaux et laissèrent la lumière du soleil entrer dans la chambre de Hughes. Les couches de serviettes en papier « d'isolation » furent ramassées et passées dans le déchiqueteur de documents. L'écran de cinéma, le projecteur et l'amplificateur furent descendus et emballés. Il n'y avait aucun autre objet personnel à emballer, ni photo, ni souvenir, ni livre de chevet, ni tableau aimé, aucun des objets que les gens transportent normalement avec eux de place en place.

L'homme dont la richesse défiait l'imagination ne possédait même pas un vêtement ; simplement un peignoir, un vieux Stetson aux bords relevés, deux pyjamas et quelques caleçons spécialement faits pour lui, à cordons coulissants. La longue liste de ses tabous incluait les caleçons à boutons ou à boutons pression.

Il n'avait pas de vêtements parce qu'il n'en portait pas. Depuis plus de dix ans, il se promenait dans sa chambre obscure nu ou seulement vêtu de ses caleçons spéciaux.

*

La décision d'hospitaliser Hughes était venue trop tard : son coeur s'arrêta pendant que l'avion fonçait vers Houston. Selon le Dr Thain, il mourut à une heure vingt-sept de l'après-midi, une demi-heure avant l'atterrissage.

Sa mort ne fut annoncée ni par ses médecins, ni par le conseil d'administration de la Summa ; elle fut connue aux journalistes par l'intermédiaire de la direction de l'hôpital de Houston. Plus d'une heure après sa mort, la direction de la Summa refusait encore de confirmer ou de démentir la nouvelle.

Cela n'était pas en soi inhabituel. Les administrateurs de la Summa n'ont pas de rapports avec la presse, ils passent par un « porte-parole de Hughes », représentant la grande agence de relations publiques Carl Byoir. Depuis plus de vingt ans, le porte-parole officiel de Hughes était Richard Hannah, ancien journaliste de la chaîne Hearst à Los Angeles. Il ne disait aux journalistes que ce que Hughes, et plus tard la direction de la Summa, l'autorisait à dire. La plupart du temps, il n'était autorisé à rien dire. Les journalistes qui « couvraient » Hughes s'y attendaient : quand il sortait une histoire sur Hughes, il était rituel d'appeler Hannah pour l'entendre dire : « Sans commentaires ».

— En plus de vingt ans de relations avec Hannah, dit un journaliste, je n'ai même pas pu en tirer un paragraphe d'article.

Hannah était mort quelques mois seulement avant le dernier voyage de Hughes à Acapulco. Le rôle de « porte-parole de Hughes » était dévolu à son assistant, Arelo Sederberg, ancien journaliste du *Times* à Los Angeles. Comme Hannah, Sederberg ne disait à la presse que ce que la direction de la Summa l'autorisait à dire.

Quelques minutes après le premier bulletin en provenance de Houston, les lignes téléphoniques du bureau de Sederberg à Los Angeles furent complètement embouteillées. Dans les quarante-huit heures qui suivirent, sa secrétaire affolée répondit à plus de six cents coups de téléphone des journaux, des services télégraphiques, de stations de radio et de télévision nationales et étrangères.

Le jour de la mort de Hughes, Sederberg fut autorisé à faire deux brefs commentaires ; un seul était vrai.

La Summa confirmait enfin la mort du milliardaire. Cette confirmation officielle ne satisfit pas entièrement le ministre des Finances, William Simon, qui demanda au F.B.I. de prendre les empreintes digitales du cadavre à Houston et de les comparer à celles du dossier à Washington. On prit les empreintes, on les envoya à Washington et on les compara à celles de Howard Robard Hughes. Elles étaient conformes : le mort était bien le milliardaire.

Tard, le jour de la mort, Sederberg fut autorisé à dire que Hughes était mort d'une thrombose cérébrale. Mais le rapport officiel d'autopsie attribua la mort à une défaillance rénale et ne parla pas de congestion cérébrale. La direction de la Summa ne donna aucune explication.

Toutes les autres demandes de renseignements furent rejetées. La Summa refusa même de donner l'identité des deux médecins et de l'assistant qui accompagnèrent Hughes durant son dernier trajet. La presse fut obligée de parler de sa mort comme elle avait parlé de sa vie, en faisant un montage des renseignements fournis par des gens qui échappaient au contrôle de la Summa.

L'explication officieuse du silence de la Summa fut que Hughes avait été un homme exceptionnellement secret et que la Summa ne faisait qu'observer ses consignes.

Ses avocats avaient souvent utilisé le même argument pour lui éviter de comparaître devant un tribunal : c'était simplement un grand excentrique, qui tenait par-dessus tout à protéger sa vie privée.

La vérité était que, depuis plus de dix ans, il ne pouvait plus décemment se risquer à apparaître en public. Ses démons intérieurs l'avaient poussé à l'extrême limite du comportement où la ligne de démarcation entre la santé mentale et la folie devient floue. Pendant des années, il vécut dans la hantise qu'une personne étrangère à son cercle restreint d'assistants et d'employés se rendît compte de son délabrement. Il s'était transporté ici et là, dans une sorte d'asile personnel fabriqué à prix d'or, un tout petit monde dont il avait établi les règles que tous respectaient.

Jusqu'au jour où il en avait perdu le contrôle et était devenu le prisonnier passif.

2

UNE APPARENCE DE SANTÉ MENTALE

Quand la mort jeta Hughes en pâture au monde et révéla quelle avait été sa condition réelle, le public réagit par la stupéfaction et l'incrédulité. Comment cet homme immensément riche, entouré de quinze serviteurs, avait-il pu mourir de malnutrition et de manque de soins?

— Hughes aurait été mieux soigné s'il avait été un ivrogne sans le sou, qui se serait écroulé dans la rue, dit un médecin californien ; au moins un passant aurait-il appelé une équipe médicale.

En apparence, sa mort était conforme à un stéréotype familier à tout lecteur de journaux : le riche avare qui se laisse mourir de faim sur un grabat cousu d'or.

Mais Hughes n'était pas un avare qui refuse de dépenser pour la nourriture et les soins. La note de l'Acapulco Princess, pour le séjour de sept semaines avec son escorte, se montait à quatre-vingt-deux mille cinq cent quarante-neuf dollars, pour la nourriture et le logement. Si on y ajoute les salaires de ses médecins et de ses assistants (entre vingt mille et cent dix mille dollars par année) et les dépenses supplémentaires entraînées par les habitudes excentriques de Hughes, le coût de son bref séjour au Mexique dépasse deux cent cinquante mille dollars, une moyenne de cinq mille dollars par jour. Ces dépenses n'étaient pas inhabituelles. Durant les dix dernières années de sa vie, les frais de son «asile ambulant» et de l'intendance indispensable ont largement dépassé le million et demi de dollars par an.

Hughes est mort comme une épave parce qu'il thésaurisait le pouvoir, non l'argent. Il interdisait à ses employés et à ses médecins de lui dispenser les services pour lesquels les riches engagent des employés et des médecins. Le rôle de sa cour n'était pas d'assurer son bien-être, mais d'exécuter ses désirs et de le protéger du monde extérieur.

Son attitude envers ses médecins était celle d'un schizophrène. Une moitié de lui-même continuait à augmenter le nombre de ses médecins personnels, l'autre rejetait leurs services. Plus de vingt-cinq ans auparavant, il avait son médecin personnel (à cinquante mille dollars par an, plus de généreux défraiements), qu'il consultait rarement. Au fil des années, il ajouta de nouveaux médecins à son entourage tout en refusant de plus en plus obstinément leurs services.

Il demanda ainsi à Maheu d'engager un médecin, le Dr Robert Buckley, lui faisant abandonner une clientèle lucrative en Californie pour le suivre à Las Vegas. Puis Hughes apprit que Buckley avait étudié la psychiatrie et refusa absolument de l'admettre en sa présence. Les psychiatres le terrifiaient, avec raison.

Hughes était un hypocondriaque chronique qui imaginait avoir toutes sortes de maladies. Mais alors que l'hypocondriaque type importune sans arrêt son médecin pour qu'il fasse de nouvelles analyses et de nouveaux diagnostics, Hughes engageait des médecins pour ensuite leur interdire de confirmer ses craintes ou de les dissiper.

La tumeur crânienne qui s'était ouverte lorsqu'il était tombé de son lit à Acapulco, était apparue en 1960 et n'avait cessé de grandir. Le Dr Chaffin demandait sans cesse à Hughes de lui permettre de l'enlever, ou au moins de pratiquer une biopsie pour savoir si elle était cancéreuse ou non. Hughes refusa, et laissa la tumeur se développer. Quand l'accident d'Acapulco survint, le Dr Chaffin en profita pour faire faire les analyses. Celles-ci montrèrent que la tumeur était bénigne.

De tous les membres des professions libérales, les médecins sont les moins prêts à déléguer leur compétence à leurs clients. Quand le Dr Montemayor, voyant l'état de délabrement de Hughes le jour de sa mort, déclara qu'il l'aurait hospitalisé beaucoup plus tôt, il ne faisait qu'avoir la réaction normale d'un médecin. Mais le Dr Montemayor n'était pas membre de l'équipe de Hughes et ne connaissait pas l'attachement jaloux du milliardaire à son pouvoir.

Ses assistants s'en accommodaient depuis des années. Ils s'étaient élevés à leur position privilégiée et s'y étaient maintenus par leur capacité à satisfaire les caprices d'un homme qui avait des caprices de fer !

— Si Hughes disait à l'un de ses hommes de se tenir debout sur la tête dans un coin, dit un ancien employé, celui-ci ne demandait pas : pourquoi, il demandait : quel coin ?

Kay Glenn, régisseur de l'escorte et bras droit de Bill Gay, avait attiré favorablement l'attention de Hughes dès les années 60, à l'époque où il vivait dans une villa de Bel-Air avant de partir pour Las Vegas. La villa French Regency, 1001, Bel-Air Road, était perchée au sommet d'une colline qui domine Bel-Air, qui lui-même domine

Beverley Hills, qui domine Los Angeles. La maison appartenait à un financier de Los Angeles appelé John Zurlo. Hughes l'avait louée par un agent immobilier de Hollywood, Virginia Tremaine, qui s'était occupée pour lui d'autres transactions immobilières. Pour respecter le fétichisme du secret de Hughes, madame Tremaine n'avait pas donné à Zurlo le nom de son client. Durant toutes les années où Hughes habita la villa, le loyer fut toujours payé par madame Tremaine et non par lui. Il insistait sur le secret bien que tout le monde à Bel-Air sût que c'était lui qui vivait là, et que des photos de la villa, l'identifiant comme sa résidence, fussent passées dans *Life* et dans le *Saturday Evening Post*. Quand finalement Hughes interrompit le bail en 1972 (six ans après avoir quitté la villa), Zurlo dit :

— Je n'ai toujours aucune preuve matérielle que Hughes a été mon locataire.

Un jour, à la villa de Bel-Air, Hughes remarqua que quelqu'un avait laissé tomber une bouteille dans l'escalier et qu'elle s'était cassée. N'importe qui aurait appelé un domestique et fait balayer le verre cassé. Mais Hughes concentrait une attention pointilleuse sur les petits détails, et il avait une terreur irraisonnée de la contamination. Il avait tout particulièrement peur des planchers.

Hughes délégua le problème du « verre-cassé-dans-l'escalier » à son quartier général de Romaine Street. Il décrivit le problème et précisa méticuleusement la façon dont il voulait qu'il soit résolu. La surface contaminée devait être divisée en carrés d'un pouce de côté avec une règle. Il voulait ensuite qu'un employé commence à un bout de cette sorte d'échiquier et qu'il en brosse et essuie chaque case une par une.

La tâche fut confiée à Kay Glenn. Il se munit d'une règle, se hâta de gagner la villa et enleva le verre cassé de la façon dont Hughes avait ordonné qu'il soit enlevé. Il ne vit pas Hughes, mais apparemment Hughes le vit car il dit plus tard à Bill Gay que Glenn était un employé admirable et qu'il était content de son nettoyage d'escalier. Glenn commença bientôt à s'élever dans la hiérarchie Hughes, passant au-dessus d'employés plus anciens.

Quand on travaillait pour Hughes, la vie était fertile en incidents de ce genre. Son esprit extraordinairement excentrique, obsédé par ses phobies et son réseau de soupçons paranoïaques, projetait ses aides de camp dans un monde à la Lewis Carroll.

Quand il travaillait personnellement à un projet, le moindre détail était digne de son attention. Il y eut la crise de la « virgule en trop » : au début de son séjour à Las Vegas, Hughes cessa de déléguer à un porte-parole ses rapports avec le public, et écrivit personnellement plusieurs communiqués de presse. L'un d'entre eux parlait de la « nécessité » pour Las Vegas de supprimer l'aéroport Mc Carran et de le remplacer par un autre, dessiné par lui, Hughes, et situé dans un endroit différent.

La composition du communiqué de presse prit plusieurs jours. Hughes rédigea un premier brouillon, le fit taper, le corrigea, le fit retaper, et ainsi de suite jusqu'à ce que le texte fût exactement comme il le voulait. Il mit finalement au point une version qui lui plaisait... à un détail près. Il y avait une phrase qui, décida-t-il après mûre réflexion, avait trop de virgules. La phrase mentionnait « Houston, Texas ». Hughes remédia à ce qu'il considérait comme un excès de virgules en supprimant celle qu'il y avait entre « Houston » et « Texas ». Le communiqué fut alors tapé à la machine et Hughes envoya l'un de ses assistants le remettre aux bureaux du *Las Vegas Sun.*

L'assistant remit le communiqué à Ruthe Deskin, secrétaire de direction de l'éditeur du *Sun,* Hank Greenspun. Madame Deskin, journaliste chevronnée et compétente, lut le communiqué et, en voyant les mots « Houston Texas », remit la virgule où elle manquait.

— L'homme fut désespéré quand je remis la virgule, dit madame Deskin. Il me dit que monsieur Hughes *ne voulait pas* de virgule à cet endroit, que monsieur Hughes l'avait enlevée personnellement...

...Je lui dis que je voulais bien l'enlever, mais qu'elle serait tout simplement remise par le bureau de compotion ou par le correcteur d'épreuves...

...L'agitation du pauvre homme augmenta ; il me fit tellement pitié que je résolus le problème en suivant le communiqué à travers la salle de presse jusqu'à ce que la plaque soit placée sur la presse sans la virgule.

Sa manie du détail hantait Hughes depuis des années. Elle était si forte qu'elle empêchait toute autre activité pendant de longues périodes. En 1950, alors que la Hughes Aircraft connaissait une crise de croissance sérieuse, Hughes consacra énormément de temps à une autre crise qui avait éclaté pendant le tournage du film *Macao* à propos des mamelons de Jane Russell. Un mémo dicté à cette occasion constitue un témoignage irremplaçable pour l'étude des cas de méticulosité obsessionnelle et de fétichisme du secret.

Il était adressé à un homme appelé C.J. Tevlin et portait en lettres majuscules, l'inscription : MESSAGE IMPORTANT.

Comme un chef de station de la C.I.A. en train de renseigner ses agents sur un projet ultra secret, Hughes consacrait une page entière à des instructions aux employés de son studio sur la façon d'utiliser son mémoire sur les mamelons de mademoiselle Russell.

Le mémo ne devait être montré qu'à deux employés de confiance qui devaient le porter à l'habilleuse de mademoiselle Russell. Ils devaient rester avec elle pendant qu'elle le lirait puis le lui reprendre et le détruire. Hughes soulignait qu'il ne voulait pas qu'il y ait la moindre possibilité qu'elle laisse voir, par inadvertance, ces notes à qui que ce soit d'autre, sans toutefois expliquer pourquoi cela le contrarierait.

Ensuite, pendant quatre pages, il essayait d'expliquer ce qui lui avait déplu. Le corsage d'une des robes de mademoiselle Russell dans *Macao* donnait à ses seins une apparence artificielle de rembourrage, disait-il. En particulier, plusieurs petites bosses de l'étoffe donnaient l'impression d'une multitude de mamelons au lieu de deux pointes suggestives. Après avoir fastidieusement exposé le problème, il décrivait, d'une manière tout aussi fastidieuse, la solution à y apporter, qui consistait en un corsage plus souple et un soutien-gorge très fin.

Feu Thomas Watson pressait ses employés d'I.B.M. de la brève exhortation : « Réfléchissez ! ». Dans le petit cercle privé de Hughes, où l'on avait de l'avancement en balayant un escalier centimètre carré par centimètre carré, et où une virgule pouvait mettre votre situation en danger, la consigne était : « Obéissez ! ».

Hughes lui-même le fit un jour comprendre à l'un de ses avocats :

L'homme de loi le pressait par téléphone de suivre une procédure à laquelle Hughes était opposé. Convaincu que la tactique qu'il conseillait était la bonne, qu'elle était inévitable et qu'elle servait au mieux les intérêts de son client, l'avocat dit au milliardaire :

— Mais, monsieur Hughes, vous êtes pratiquement *forcé* d'agir de cette façon.

Il y eut un long silence, puis Hughes répliqua d'un ton glacé :

— Ne me dites jamais ça ! Je n'ai *jamais* fait quoi que ce soit parce que j'y étais forcé.

Pour leur faire accepter cette anesthésie de leur volonté et de leur personnalité, les assistants de Hughes recevaient de grosses compensations en plus de généreux salaires. Ils travaillaient quinze jours et avaient ensuite quinze jours de repos. Quand ils n'étaient pas de service, de Londres, des Bahamas ou d'ailleurs, ils rentraient chez eux aux États-Unis en avion aux frais de la Summa. Quand ils se rendaient à Los Angeles à une réunion avec le triumvirat de la Summa, des limousines avec chauffeur les attendaient à l'aéroport. Dans les stations touristiques où ils cachaient leur employeur, ils profitaient des saunas, des instituts de massage, du golf et du tennis grâce à ce qu'ils appelaient « la puissance du style », c'est-à-dire la possibilité de signer la note et de la faire porter au compte de la Summa.

Quand ils étaient de service, ils avaient toute une armada de véhicules à leur disposition. Hughes étant toujours transporté sur un brancard qui n'entrait pas dans une voiture, les déplacements se faisaient en fourgon, un fourgon ordinaire, comme ceux qu'utilisent le fleuriste et l'épicier du coin pour leurs livraisons. Ses employés étaient mieux servis. À Acapulco, par exemple, on envoya des États-Unis, par avion, deux voitures pour compléter l'armada de l'escorte.

Hughes se cachait dans des hôtels de grand luxe, mais il y menait une vie curieusement spartiate. D'ailleurs, vers la fin il n'avait pas le choix : un homme qui se blottit au fond d'une chambre obscure, et panique à l'idée qu'on puisse l'apercevoir, même de loin, renonce à l'essentiel des plaisirs de la *dolce vita.* Mais son austérité personnelle ne datait pas d'hier, et il se l'imposait volontairement.

Avant même de perdre tout à fait l'habitude de se vêtir, il s'occupait assez peu de son habillement. En 1947, il se présenta devant un comité d'investigation du Sénat avec un veston qui ne lui allait pas, emprunté qu'il était à l'un de ses employés. Une autre fois, il emprunta un pardessus à Dietrich, qui mesurait vingt centimètres de moins que lui. On aurait dit que Hughes portait un manteau d'enfant, mais il le garda pendant des mois. Il portait ses chemises et ses pantalons si longtemps que les chiffonniers d'Emmaüs eux-mêmes n'en auraient plus voulu. Quand il trouait ses chaussettes, il ne portait plus de chaussettes. Les histoires qu'on raconte au sujet de ses sorties en chaussures de tennis et plus tard les pieds chaussés de boîtes de Kleenex sont toutefois sans fondement.

L'histoire des boîtes de Kleenex, une des plus populaires du folklore Hughes, naquit d'un incident : dans les années 60, une cuvette de toilettes déborda dans sa chambre. Le milliardaire s'était servi de boîtes de Kleenex comme « isolant » de secours et l'histoire avait filtré au dehors. Elle était tout à fait dans le goût du public et, passant de bouche à oreille, s'enjoliva fortement. Sauf lors de cet incident, Hughes n'a jamais chaussé de boîtes de Kleenex ; quand il n'allait pas pieds nus, il portait de vieilles sandales tout usées.

Il était très capricieux pour sa nourriture, mais ses caprices étaient contradictoires et sporadiques et n'avaient rien à voir avec les recherches d'un gourmet. Pendant de longues périodes, son régime était nettement inférieur à celui d'un pensionné de la Sécurité sociale.

Au Desert Inn, qui s'enorgueillit de la chère raffinée de la salle Monte Carlo, il vécut de soupe de poulet en boîte Campbell. Mais s'il se contentait, semaine après semaine, d'un régime qu'aurait dédaigné un petit employé de magasin, il était aussi tâtillon sur sa préparation qu'un habitué de chez Maxim's.

— Il arrivait souvent à Hughes de mettre huit heures pour ingurgiter les deux bols de soupe contenus dans une boîte, rappelle Margulis. Il mangeait une cuillerée puis voulait regarder un film sur son écran (souvent un film qu'il avait déjà vu vingt fois). La soupe refroidissait et il la faisait réchauffer. Il fallait le faire soigneusement pour qu'elle soit chaude, sans être brûlante. Il en mangeait alors une ou deux autres cuillerées, se replongeait dans le film et renvoyait la soupe à réchauffer. Il m'est arrivé de réchauffer la même soupe dix ou vingt fois. Quand il avait presque fini, un nouveau problème se posait : il avait mangé tous les morceaux de poulet et en voulait d'autres. Alors, j'ouvrais une autre boîte de Campbell, y prenais quelques morceaux de poulet pour les mettre dans la soupe qui n'en avait plus, et réchauffais ensuite le nouveau mélange à la température voulue.

Pendant que Hughes mangeait de la soupe en boîte dans sa chambre, ses assistants, quand ils étaient de service, se faisaient monter des repas luxueux, ou sinon déjeunaient dans les meilleurs restaurants et faisaient porter la note au compte de la Summa. Hughes n'a jamais exprimé ni envie ni ressentiment de cette inversion des niveaux de vie de l'employé et du patron.

— Les dix dernières années de sa vie, il n'a pas eu de compagnie féminine et n'a pas montré le moindre intérêt pour les femmes, dit Margulis. Je ne l'ai même jamais vu regarder une photo de femme.

Hughes renonça à ses légendaires entreprises de séduction quinze ans avant sa mort. Là encore, ce n'était pas par avarice. De la même façon qu'il entretenait une équipe de médecins qu'il refusait de consulter, dans les années 60, il entretenait tout un harem de protégées très attirantes, sans jamais aller les voir.

Dans l'empire Hughes, être «mis en attente» par le milliardaire s'appelait «être sur l'hameçon». Dans les années 40 et 50, il avait « sur l'hameçon » une collection de femmes impressionnantes (quelques actrices renommées et tout un lot de jeunes et fraîches inconnues). Longtemps, il entretint cinq favorites dans les villas, derrière une sorte de purdah[1] californien. Elles avaient voiture et chauffeur, compte ouvert dans les plus grands restaurants, et gardes du corps. Ce qu'elles recevaient rarement, en revanche, c'était la moindre attention de la part de Howard Hughes.

Dans une interview très franche, l'une d'entre elles, Sallilee Conlon, me dit qu'elle avait passé plus de quatre ans dans cette prison dorée, prenant des leçons de chant et d'art dramatique aux frais de Hughes, pour être la vedette d'un film qui n'a jamais été tourné.

— Au début, pendant plusieurs mois, j'ai vu Hughes tous les jours, dit-elle. Puis il m'a installée dans une maison à Beverley Hills et pendant les quatre années et demie qui suivirent, je ne l'ai pas vu une fois. Pas *une* fois...

...Il m'envoyait des fleurs de temps à autre (ou plutôt me faisait envoyer des fleurs) et c'était tout. J'avais une voiture avec chauffeur et toutes mes dépenses étaient payées. Un jour, je me suis posé la question : *quel genre de vie est-ce là*? J'ai téléphoné à son avocat, puisque je

---

[1] N.D.T. : En Inde : rideau derrière lequel on cachait les femmes ; partant, le système qui les astreint à une vie retirée.

n'avais pas la possibilité de parler à Hughes lui-même, et lui ai dit que je voulais m'en aller...

...La première chose qu'il m'a demandée, est si je voulais de l'argent. Je lui ai dit que non et il sembla surpris...

...Puis j'ai raccroché et suis sortie respirer l'air de la liberté.

Hughes — c'est bien lui — entretenait une équipe de sécurité pour protéger un droit du seigneur dont il n'usait plus depuis longtemps. Cette équipe était commandée par un certain Mike Conrad qui dépendait de Romaine. Conrad continua à garder les protégées quelque cinq ans après que l'attention de Hughes se fût portée ailleurs. Le trésorier de Hughes à Romaine, Bill Gay, coupa le budget de Conrad qui en fut réduit à recruter des amateurs : étudiants en vacances et pompistes de stations-service à la recherche d'un deuxième emploi.

Le travail était facile mais pas très stimulant, et puis les gardes trouvaient étrange d'avoir à surveiller des protégées que leur protecteur ne « fréquentaient » même pas.

— Je n'y comprends rien, se plaignait l'un d'eux. Hughes dépense tout cet argent pour des femmes, et ça rendrait beaucoup mieux, et ça lui coûterait moins cher d'aller dans un bar un peu dans le vent, à l'heure de pointe !

La garde du purdah ne reçut jamais l'ordre formel d'arrêter ses activités. En 1966, lorsque Hughes partit pour Las Vegas, Conrad se fatigua d'un poste qui ressemblait à une aumône déguisée et démissionna. Les protégées s'égaillèrent où leur talent ou leurs inclinations les poussaient, sauf deux d'entre elles qui, avec une obstination futile, restèrent en attente, et entretenues, pendant plus de dix ans.

Sans besoins personnels, Hughes fut l'un des plus grands acquéreurs de notre temps. Il avait un féroce instinct de propriété et détestait partager ses possessions autant que les abandonner. Il exerçait son droit de propriétaire sur les choses et sur les gens.

Il laissa une collection de voitures et d'avions, tout comme ses protégées, garés et gardés ici et là, oubliés et inutilisés, les pneus dégonflés et les moteurs détériorés de ne pas servir. Un journal californien fit un jour le recensement des avions ainsi abandonnés par Hugues. Il en dénombra dix mais en oublia trois que j'ai moi-même découverts.

Ce gaspillage manifeste montre que l'organisation lui obéissait aveuglément, sans se poser de questions sur le bien-fondé de ses ordres.

— Quand Hughes donnait un ordre, les effets étaient perpétuels car personne n'osait l'annuler, dit Robert Maheu. Je me souviens que j'ai eu une petite armada de Chevrolet garées et abandonnées aux intempéries pendant des années à l'aéroport de Miami. Nous avons eu plusieurs plaintes de la direction de l'aéroport...

...Un jour, je les fis remorquer et mettre à la casse, ce qui souleva une grande émotion chez les cadres des entreprises Hughes. Ils se rongaient d'inquiétude à la pensée de ce qui se passerait si Hughes se souvenait un jour de ces voitures et en demandait des nouvelles. Je leur dis : « Eh bien, quoi ! on n'aurait qu'à racheter de vieilles Chevrolet et à les remettre en place. »

La composition de l'entourage de Hughes au moment de sa mort était commandée par la nécessité. C'était la quintessence de son quartier général de Romaine Street qui formait son cercle intime, ceux qui avaient pu se plier à la très particulière discipline Hughes.

Romaine était l'une des plus curieuses institutions du monde des affaires contemporain. Depuis le début des années cinquante, on s'occupait de ce que Hughes appelait des « opérations ».

Ce bâtiment de deux étages situé quelques rues au sud du Sunset Boulevard ressemble à une forteresse. Hughes l'acheta en 1930 lors d'une tentative de production de films en couleurs. Quand cette tentative avorta, il utilisa un temps le bâtiment pour entreposer ses films. À l'entrée, il y avait une petite plaque de bronze avec la raison sociale : « Hughes Prod. », pour « Hughes Productions », depuis longtemps inactives.

Bien qu'on l'ait souvent prétendu, Hughes lui-même n'eut pas de bureau à Romaine Street. Il n'a jamais eu de bureau, au sens habituel et conventionnel du mot, où que ce soit dans son empire. Instable, nomade et avant tout très secret, il se déplaçait sans cesse, tel un moderne Mouton Rouge, dirigeant tout d'une chambre d'hôtel (louée sous un faux nom),d'une villa (dont il ne signait jamais le bail lui-même), ou même d'une voiture ou d'une cabine téléphonique. Selon Noah Dietrich, Hughes n'a pas une seule fois assisté à l'assemblée générale d'une seule de ses sociétés.

Étant donné le nombre de celles-ci, cette manière peu orthodoxe de procéder exigeait une sorte de centre de contrôle. Au début des années cinquante, Hughes choisit Romaine et l'organisa de façon à ce qu'il puisse fonctionner compte tenu de ses excentricités directoriales.

Noah Dietrich s'installa à Romaine et le bâtiment abrita une petite équipe de secrétaires dirigée par Nadine Henley. Le centre nerveux du bâtiment était son central téléphonique, ouvert vingt-quatre heures sur vingt-quatre et sept jours sur sept tout au long de l'année. Sous la direction de Bill Gay, qui recevait là une promotion étourdissante, Romaine avait une équipe de courriers disposant d'un grand nombre de Chevrolet. Il y avait aussi des limousines destinées au transport des directeurs de compagnies importants et des hauts fonctionnaires que Hughes courtisait de temps à autre.

L'existence de Romaine laissait Hughes libre de se déplacer au gré de ses caprices : par l'intermédiaire de son standard, il pouvait envoyer ses ordres à ses différents directeurs, soit au moyen de mémorandums dictés, soit par des conversations téléphoniques à des heures prévues. Bientôt, ces conversations disparurent presque totalement et il fit parvenir toutes ses décisions par mémo.

Bien que, sur la fin, ses assistants n'aient pas été autre chose que des sortes de petits pages adultes, les directeurs de quelques-unes de ses entreprises étaient des hommes d'affaires intelligents et compétents. Ils pouvaient avoir des points de vue différents de celui de Hughes, et les exposer. Ce dernier considérait ces discussions comme une intolérable perte de temps.

Il résolut le problème en transformant Romaine en voie de communication à sens unique. Quand le directeur de Hughes Tool Co. ou de Hughes Aircraft appelait le standard de Romaine, on ne pouvait jamais lui passer Hughes. Un employé lui disait poliment que Hughes serait informé qu'un de ses directeurs l'avait appelé. Si Hughes n'avait rien de particulier à dire à celui-ci, il ignorait purement et simplement le message.

Comme les affaires ne peuvent pas tourner dans le vide, l'inaccessibilité de Hughes augmenta considérablement l'autorité et le pouvoir de Noah Dietrich. C'était le numéro deux de l'empire et, à l'inverse de Hughes, il était visible et disponible. Comme il n'était en outre ni timoré ni indécis, quand un problème surgissait et que Hughes était *in absentia*, Dietrich prenait lui-même les décisions nécessaires.

Après leur rupture en 1957, Dietrich exprimait fréquemment l'opinion — pour les fidèles de Hughes — outrageante, déloyale et blasphématoire — que c'était lui et non Hughes qui avait bâti la fortune du milliardaire.

Il fut certainement pour beaucoup dans son édification. À la source de l'empire Hughes, il y avait la Hughes Tool Co., la fabrique de trépans que Hughes enfant avait héritée de son père. Pour Hughes, la Toolco, comme l'appelaient les initiés, était la réussite de son père et il s'intéressait assez peu à sa gestion. Bien qu'elle fît encore des bénéfices, Dietrich était inquiet de son vieillissement et pressait Hughes de la moderniser. Il dut insister pendant vingt ans avant que Hughes n'accède à ses requêtes. Peu après la Seconde Guerre mondiale, Hughes, exaspéré, autorisa, en bougonnant, Dietrich à aller à Houston faire « ce qu'il s'était mis dans la tête de faire ».

Dietrich retint les services d'un expert, Fred Ayers, qui avait conçu une nouvelle chaîne de montage pour General Motors. Sans consulter Hughes, Dietrich dépensa cinq millions de dollars pour moderniser Houston. En quelques années, les bénéfices de la Hughes Tool Co. décuplèrent, jusqu'à atteindre cinquante-neuf millions de dollars en 1956.

Les bénéfices que Hughes tirait de cette société étaient l'un de ses secrets les mieux gardés. Mais en 1972, quand la Toolco fut mise en vente, la Commission des opérations en Bourse l'obligea à montrer ses comptes.

Entre 1924, date à laquelle il hérita de la firme, et 1972, la société avait fait sept cent quarante-cinq millions quatre cent quarante-huit dollars de bénéfice. Les ventes annuelles et les pourcentages de bénéfice révèlent d'une façon indiscutable les résultats positifs de la modernisation de Noah Dietrich. En 1946, les ventes totalisaient trente-trois millions de dollars, en 1948, l'année suivant la modernisation de l'usine, elles atteignirent cinquante-cinq millions et, en 1956, elles étaient passées à cent dix-sept millions cinquante-neuf mille dollars. Cette année-là, l'entreprise fit un bénéfice record de cinquante-neuf millions cinq cent vingt-quatre mille dollars, soit 51% du montant des ventes, ce qui est problablement incroyable.

Ce sont les énormes bénéfices de la Hughes Tool Co. qui permirent au milliardaire de faire de la T.W.A., petite ligne aérienne régionale à peine rentable, la compagnie internationale qui fait flotter le pavillon américain aux quatre coins du monde, et de la petite société aéronautique Hughes Aircraft le géant de l'électronique qu'elles sont aujourd'hui. Sans l'exploit de Dietrich à Houston, Hughes n'aurait jamais eu assez d'argent pour étendre son empire.

La retraite de Hughes derrière Romaine permit à ses meilleurs directeurs de se libérer de sa manie du détail. Après avoir pendant un temps vainement tenté de le consulter, ils cessèrent même d'essayer, prirent les décisions eux-mêmes et gérèrent ses entreprises comme si elles étaient les leurs.

Ainsi, Pat Hyland, directeur de l'énorme Hughes Aircraft Corporation : dans l'industrie de l'électronique, tout le monde respecte Hyland pour ses extraordinaires qualités de gestionnaire. Quand il prit la tête de la société au début des années 50, c'était un véritable nid de dissensions nées de l'indécision notoire de Hughes. Les grands directeurs, Tex Thornton, Simon Ramo et Dean E. Wooldridge en tête, avaient démissionné. Des centaines de techniciens les avaient suivis et ils avaient fondé leurs propres sociétés d'électronique, dont Litton Industries et T.R.W. La désorganisation de Hughes Aircraft était telle que le secrétaire à l'Air d'alors, Harold Talbott, vint en personne à Los Angeles accuser Hughes d'avoir saturé un important fournisseur militaire, et d'avoir ainsi, Hughes Aircraft étant le seul fournisseur de certains produits vitaux pour la défense, mis en péril la sécurité des États-Unis.

Hyland reprit l'épave qu'était la société et la géra comme la sienne propre. Il remplaça rapidement les cadres, regonfla le moral du personnel et hissa Hughes Aircraft au huitième rang des compagnies recevant des contrats de la Défense nationale. Il le fit, selon les initiés, sans conseils ni interventions d'aucune sorte de Hughes. Un ami intime de Hyland précisa qu'en plus de vingt ans de direction générale de la Hughes Aircraft, Hyland n'a eu que trois conversations téléphoniques avec Hughes.

Hughes voyait d'autres avantages à se protéger des problèmes de son empire derrière Romaine. Quand les choses allaient bien, il en retirait le bénéfice ; quand elles tournaient mal, le seul responsable était le directeur qui avait pris une mauvaise décision. Alors le téléphone sonnait chez Dietrich et Hughes ordonnait :

— Noah, fous-moi ce salaud à la porte !

— Durant les trente-deux années que j'ai travaillé avec lui, dit Dietrich, Hughes n'a jamais lui-même renvoyé quelqu'un. L'ordre de « foutre-ce-salaud-à-la-porte » m'arrivait par téléphone, et puis on ne pouvait plus le joindre...

...D'autres fois, il me transmettait une décision qu'il savait devoir irriter un de ses directeurs. Plus tard, il pouvait lui arriver de parler à celui-ci au téléphone. S'il se plaignait, Hughes lui disait que c'était moi qui avais pris la décision. « Comment Noah a-t-il pu faire *ça*? disait-il, il va falloir que je mette les choses au point avec lui. »

Romaine ne servait pas seulement de bouclier à Hughes, on s'y occupait également de transmettre ses messages et ses ordres, et de satisfaire ses lubies. Il y avait dans les bureaux des réserves de gants de coton blanc, achetés en gros. Tout document destiné à Hughes devait être tapé par une secrétaire en gants blancs et remis en mains propres par un courrier en gants blancs. L'aspect moyenâgeux de telles précautions contrastait violemment avec le tour d'esprit et les grandes capacités de Hughes. Des gants de coton neufs étaient propres, sans doute, mais pouvait-on assurer qu'ils étaient vraiment stériles ? D'ailleurs, parmi les courriers, certains cyniques enlevaient leurs gants en sortant du quartier général et nc les remettaient qu'en arrivant à destination.

Le standard de Romaine avait beau être périodiquement inspecté pour détecter des écoutes téléphoniques qu'on aurait pu y brancher, Hughes s'en méfiait pour les communications qu'il jugeait importantes. Il appelait Noah Dietrich, lui donnait un numéro de téléphone et lui disait de quitter Romaine et de se rendre à un téléphone public. De là, Dietrich appelait le numéro, donnait à Hughes celui du téléphone public et raccrochait. Hughes, ayant la preuve que Dietrich avait quitté Romaine, le rappelait et lui donnait ses instructions.

Hughes payait alors Dietrich cinq cent mille dollars par an. Dietrich avait près de soixante-dix ans et les téléphones publics les plus proches se trouvaient à plusieurs centaines de mètres de Romaine. Mais sur les rites de la protection du secret, on ne pouvait pas marchander avec Hughes. La courte et massive silhouette du directeur à cinq cent mille dollars par an, se rendant d'un petit pas à une cabine publique, était devenue familière aux résidants du voisinage de Romaine.

La transmission des ordres émanant de Romaine était entourée d'un mystère digne du K.G.B. ou de la C.I.A. Romaine, de même que l'escorte mobile de Hughes qui en était l'émanation, était sévèrement compartimentée. Hughes dictait un message à Nadine Henley, avec les instructions relatives à son acheminement. Le message, sous pli fermé, était confié à un courrier avec, habituellement, seulement une adresse et la description de la personne à qui il devait être remis. Parfois, on utilisait la technique que les services secrets appellent le cloisonnement : on indiquait au premier messager un lieu de rendez-vous où il rencontrait une personne qui, ou bien lui avait été décrite, ou bien s'identifiait par un mot de passe. Le messager retournait à Romaine et l'autre, la « cloison », remettait le message à son destinataire.

Pendant la dernière année de Noah Dietrich à Romaine, Hughes réduisit encore ses communications unilatérales. Il ne téléphonait plus à Dietrich que rarement ; en outre il imposa de nouvelles restrictions, et interdit à son personnel d'aborder, lorsqu'il appelait, tout sujet autre que ce dont il voulait parler, lui. Dans ses mémoires, Dietrich indique qu'il reçut les mêmes instructions.

— Noah, ne parlons que du problème que j'ai soulevé, disait Hughes à Dietrich. Je ne peux pas me concentrer sur plus d'une chose à la fois.

En 1957, Hughes était dans un bourbier financier dont il mit des années à sortir. L'invention du moteur à réaction avait révolutionné l'industrie aéronautique et lui avait imposé des dépenses de conversion colossales. Alors qu'il laissait ses directeurs gérer les autres domaines de son empire à leur guise, Hughes avait une attitude jalousement possessive à l'égard de la T.W.A.

— Si Hughes était capable d'aimer, c'était la T.W.A. qu'il aimait, devait dire feu Bob Gross.

Sa possessivité vis-à-vis de la T.W.A., butait sur une réalité qu'il avait du mal à accepter : il n'en était pas, comme de la plupart de ses autres entreprises, le seul propriétaire. Il y était majoritaire avec 78% des parts, mais des milliers d'autres actionnaires possédaient les 22% restantes.

En ce qui concerne la T.W.A., deux traits profonds de la personnalité de Hughes se combinaient pour lui rendre la tâche malaisée. Le premier était l'indécision causée par sa manie du détail. L'homme que cette manie forçait à écrire un mémo de deux mille mots sur la façon dont une robe mettait mal en valeur les seins de Jane Russell, devait maintenant se mesurer à des problèmes techniques d'une grande complexité.

Le second était son besoin impérieux que les choses soient faites comme il voulait qu'elles le soient, et pas autrement. Dans l'affaire de la conversion de la T.W.A. aux nouveaux appareils à réaction, il voulut absolument étudier lui-même les plans, les données techniques et les performances de tous les nouveaux appareils. Ensuite, il ne put se décider à choisir ; le temps était précieux, car les autres compagnies, qui fonctionnaient sur la base d'un travail d'équipe organisé, avançaient rapidement dans leur programme de reconversion.

Quand Hughes se rendit compte qu'il était en retard sur ses rivaux, il réagit par une explosion d'activité presque maniaque. Il fit des promesses d'achat énormes à plusieurs constructeurs.

Un jour, Noah Dietrich se mit en devoir d'établir une liste des commandes dont la copie était parvenue à Romaine. Il fut stupéfait par les chiffres. Avec les échanges de moteurs et les obligations courantes, la note atteignait quatre cent quatre-vingt-dix-sept millions de dollars, somme que Hughes n'avait pas, à moins de vendre toute une partie de son empire.

Quand Hughes l'appela, Dietrich viola le récent édit et aborda un sujet dont son patron n'avait pas parlé. Il demanda :

— Où allons-nous trouver ces quatre cent quatre-vingt-dix-sept millions ?

Hughes soutint qu'il ne s'était certainement pas engagé à acheter pour « quatre cent quatre-vingt-dix-sept millions d'avions ou quoi que ce soit d'approchant ! »

— J'ai fait l'addition moi-même, je vous en enverrai une copie, lui dit Dietrich.

— Vous pouvez bien m'envoyer tout ce que vous voudrez, répliqua Hughes, mais je ne dois certainement pas quatre cent quatre-vingt-dix-sept millions de dollars pour des avions à réaction...

...Noah, demanda-t-il d'un ton plaintif, où allons-nous trouver ces quatre cent quatre-vingt-dix-sept millions ?

Avec un programme cohérent, le problème pouvait être résolu. Mais quelles qu'aient été ses qualités par ailleurs, Hughes était terriblement têtu et secret, et guère porté à coordonner son action avec quiconque. D'ailleurs, Dietrich avait prévu un programme de financement à long terme pour l'échange des appareils et avait inondé Hughes de propositions qui n'avaient reçu aucune réponse.

Au printemps de 1957, Noah Dietrich quitta Howard Hughes. La rupture fut provoquée par l'insistance de Dietrich à demander que Hughes tienne la promesse souvent réitérée de le faire bénéficier de la formule du gain de capital. Les émoluments de Dietrich étaient certes princiers, mais il les touchait sous forme de salaire, soumis comme tel au taux d'impôt le plus élevé. La plupart des grandes sociétés tournent cet inconvénient en offrant à leurs cadres supérieurs une option d'achat d'actions, ce qui leur permet de payer l'impôt beaucoup moins élevé des gains de capital.

Mais l'empire de Hughes n'était pas une corporation du modèle courant et Hughes détestait l'idée d'avoir à partager quoi que ce soit avec qui que ce fût.

Quand Hughes ordonna à Dietrich de s'atteler à la solution du problème « où-trouver-quatre-cent-quatre-vingt-dix-sept-millions-de-dollars », celui-ci répondit qu'il y penserait lorsque Hughes lui ouvrirait les options d'achat de parts promises depuis si longtemps.

Hughes lui répondit aussitôt, comme il l'avait fait à son avocat lorsque celui-ci lui avait dit : « Monsieur Hughes, vous *devez* le faire ! » :

— Vous me mettez l'épée dans les reins, Noah. Je n'accepterai ça de personne.

— Bon, eh bien, je m'en vais, répondit Dietrich avant de raccrocher.

Moins d'une heure après, un serrurier changeait la serrure du bureau de Dietrich à Romaine. Il fallut huit mois et un ordre de justice avant que Dietrich obtienne de récupérer ses effets personnels, ses polices d'assurance, les papiers de sa voiture... De ce jour jusqu'à sa mort, le milliardaire ne devait plus jamais adresser la parole, ni même écrire un mot à celui qui, plus qu'aucun autre, avait contribué à l'enrichir.

Ce même printemps, Hughes épousa Jean Peters, séduisante actrice brune à qui il faisait depuis des années une cour épisodique. Il lui avait fait miroiter le mariage, mais sans jamais s'y résoudre, de la même façon qu'il avait promis des parts du capital à Noah Dietrich sans tenir sa promesse. Mademoiselle Peters, qui n'était pas une imbécile, s'était lassée des atermoiements de Hughes, et avait épousé Stuart W. Cramer, millionnaire de la Caroline du Nord. Hughes demanda à un détective de Washington de le renseigner sur la vie privée de monsieur et madame Cramer. Peu de temps après, Jean Peters et Cramer divorçaient.

Deux mois après le divorce, Hughes épousa secrètement Jean Peters à Tonopah dans le Nevada. Par une de ces dispenses que les milliardaires sont à même de s'offrir, le mariage eut lieu sans que les bans portant les noms de Jean Peters-Cramer et de Howard Robard Hughes soient publiés. L'avocat de Los Angeles qui réussit à garder secret le certificat de mariage, James J. Arditto, traduisit plus tard Hughes en justice et obtint un règlement à l'amiable se chiffrant par centaines de milliers de dollars.

En 1959, Hughes se trouva confronté à une nouvelle série de problèmes. Il avait divorcé de son conseiller financier, il avait épousé sa femme. Il avait perdu l'homme qui s'occupait de ses affaires, lui laissant ainsi les mains libres pour satisfaire ses caprices et ses désirs. En Jean Peters, il avait acquis une femme qui avait été capable de lui dire « non » une fois, et qui n'était pas précisément prête à accepter un mariage complété d'un nombre impressionnant de concubines. En plus, il avait des problèmes financiers énormes avec une compagnie aérienne qu'il partageait avec des milliers de partenaires sous forme d'actionnaires minoritaires.

Soumis à des tensions de plus en plus fortes, qu'il ne pouvait dissiper en donnant un ordre ou enterrer sous une pile de billets de cent dollars, Hughes vit son espoir prendre un virage et commencer à déraper. Le monde dans lequel il n'avait jamais rien fait qu'il eût été forcé de faire ne se laissait plus gouverner ; il s'en enquit donc, et en construisit un autre à son usage.

Il se retira dans deux bungalows qu'il louait depuis longtemps à l'hôtel Beverley Hills. Il en habita un et installa Jean dans l'autre. Il appela auprès de lui un petit groupe, trié sur le volet, d'employés de Romaine ; puis il s'enferma dans la première de ce qui allait être une longue série de chambres closes, enleva ses vêtements et devint pour le reste sa vie, un homme invisiblement fonctionnant derrière un secret qui préservait une apparence de santé mentale.

À partir de ce moment, la *Machinerie du Secret* prit le relais. Il avait passé des années à la bricoler, à la perfectionner. Maintenant qu'il en avait besoin, elle était prête à servir, entre les mains d'hommes bien entraînés.

Dans la vie courante, un homme qui cesse de faire sa toilette et se terre au fond de sa chambre sera traité de fou. Un milliardaire qui fuit le monde de la même façon passe seulement pour excentrique. Ses assistants aidèrent Hughes à jouer cette mascarade pendant quinze jours. Elle réussit parce qu'il n'y avait qu'un petit groupe d'hommes taciturnes à savoir la vérité sur son état, et parce qu'il avait des périodes de lucidité pendant lesquelles son masque de normalité tenait en place. Il pouvait alors avoir des conversations au téléphone avec ses avocats et ses directeurs, écrire ses mémorandums, et passer pour un millionnaire un peu étrange qui avait tout simplement choisi de travailler dans une réclusion paisible.

Mais quand il était bien caché dans son petit monde, son masque se craquelait de plus en plus.

3

LA COUPE DE CHEVEUX À MILLE DOLLARS

Un soir de 1961, Mell Stewart se tenait dans le hall de l'hôtel Beverley Hills avec, à la main, une petite mallette contenant un nécessaire de coiffeur tout neuf. Il attendait un inconnu qui devait se faire reconnaître par un mot de passe, puis le conduire quelque part couper les cheveux de quelqu'un. Stewart ne savait pas qui était ce quelqu'un, ni pour quelle raison il faisait un secret d'État d'une simple coupe de cheveux.

Un nommé Dallas Keller avait recruté Stewart pour cette mission. Stewart avait un salon de coiffure à Huntington Park. C'était un mormon convaincu, et sa femme accompagnait Keller au piano; Keller était un soliste renommé du Choeur mormon de la Californie du Sud.

— Un jour, raconte Stewart, Keller me prit à part et me demanda si j'accepterais de venir à Hollywood couper les cheveux de quelqu'un de très important. Je lui répondis que je le ferais volontiers et lui demandai qui était cette personne. À ma grande surprise, il me répondit que son nom devait rester secret. Puis il me donna les instructions nécessaires.

Finalement, un homme s'approcha de Stewart, lui donna le mot de passe et lui demanda de le suivre. Ils sortirent de l'hôtel et traversèrent les jardins luxueusement paysagés, pour arriver devant un bungalow. L'homme frappa à la porte : un coup long, quatre courts, une pause, puis deux autres coups. Ce code, Stewart allait l'utiliser des centaines de fois au cours des années à venir.

Il fut accueilli par un homme qui se présenta sous le nom de John Holmes et lui donna des instructions précises : aller d'abord dans la salle de bains se brosser les mains, comme le ferait un médecin ; enfiler ensuite une paire de gants chirurgicaux ; n'avoir sur lui aucun objet inutile à son travail, stylo ou crayon. Enfin, ne pas adresser la parole à son client.

— Vous pouvez faire des signes, mais ne parlez sous aucun prétexte, dit Holmes ; de plus, vous ne devrez souffler mot de tout ceci à personne...

... L'homme dont vous allez couper les cheveux, poursuivit Holmes, est Howard Hughes. Il est occupé pour le moment ; je vous ferai entrer quand il sera prêt à vous recevoir.

Stewart s'assit et attendit plusieurs heures, donnant libre cours à son imagination pour essayer de deviner les raisons de ce scénario à la James Bond.

Finalement, Holmes lui dit :

— Ça va. Monsieur Hughes va vous recevoir maintenant.

Il l'introduisit dans la chambre.

Ce qu'il y vit l'ébahit littéralement :

— Je suis un gars de la campagne, dit Stewart, et je pensais qu'un milliardaire s'entourait de luxe, de tableaux de Rembrandt et de meubles délicats...

...J'ai vu un homme maigre, assis, les fesses à l'air, sur un lit défait. Ses cheveux descendaient d'environ trente centimètres dans son dos; une barbe emmêlée lui pendait sur la poitrine. J'essayai d'avoir l'air habituel, comme si je rencontrais tous les jours des milliardaires assis nus sur des lits défaits. J'allais poser ma mallette sur une chaise...

Il cria:

— Non, non! Pas sur la chaise!

Puis il se tourna vers Holmes et lui dit:

— Mettez de l'«isolant» pour que notre ami puisse poser ses instruments de travail.

Holmes prit un rouleau de serviettes en papier et en plaça une couche sur un buffet voisin. Le buffet était déjà recouvert d'un drap, comme le reste du mobilier de la chambre.

Holmes étendit un autre drap sur le sol et mit une chaise au milieu. Stewart se nettoya les mains et allait enfiler les gants chirugicaux.

Hughes le regarda d'un air narquois:

— Qu'est-ce que vous allez bien pouvoir faire avec ces gants?

Je me sentais comme Alice au Pays des Merveilles: Holmes m'avait ordonné de mettre ces gants et de ne parler à Hughes en aucun cas... Et voilà que Hughes m'avait posé une question, et j'étais incapable d'expliquer par gestes pourquoi je mettais ces gants. Stewart rassembla tout son courage et brisa la règle du silence:

— J'ai mis ces gants parce que monsieur Holmes m'a dit de le faire.

— Vous ne pouvez pas me couper les cheveux avec des gants, dit Hughes exaspéré, enlevez-les!

— D'accord, répondit Stewart.

La séance dura trois heures. Il y avait toute une marche à suivre, que Hughes expliqua en détail. Stewart devait utiliser une paire de ciseaux et un peigne pour la barbe, et en changer pour les cheveux. Avant qu'il commence, Hughes fit amener plusieurs pots à col large remplis d'alcool isopropyle. Quand Stewart avait utilisé un peigne, il lui fallait le plonger dans l'alcool avant de le réutiliser, afin de le « stériliser ». Quand il s'était servi du même peigne un certain nombre de fois, il fallait le jeter et en prendre un neuf.

Pendant que Stewart lui « rafraîchissait » le côté de la tête, Hughes se repliait soigneusement les oreilles « pour qu'aucun cheveu ne me pénètre ».

Stewart lui tailla la barbe court, à la Van Dyke, et lui dégagea bien les cheveux dans le cou.

Quand il eut terminé, Hughes le remercia et Holmes le reconduisit. Quelques jours plus tard, un messager vint à Huntington Park remettre une enveloppe à Stewart. Elle contenait mille dollars.

On lui dit que Hughes était content de son travail et qu'il souhaitait s'attacher ses services. Il ne devait rien dire à personne, pas même à sa femme, chaque fois qu'on l'appellerait auprès de Hughes. De son côté, Stewart était satisfait de son salaire de coiffeur particulier.

Périodiquement, Stewart devait se tenir prêt à être appelé. Pour cela, il était payé soixante-quinze dollars par jour. Souvent l'attente se prolongeait durant des semaines sans qu'il ait à faire la moindre coupe de cheveux.

Il coiffa Hughes pour la seconde fois après que le milliardaire eut transporté sa cachette dans une superbe villa de location à Rancho Santa Fe. Cette fois, la consigne était différente : Chuck Waldron vint chercher Stewart et l'emmena dans le parc résidentiel de Rancho

Santa Fe, qui tourne le dos à l'océan, au nord de San Diego.

Waldron lui dit de s'asseoir sur la banquette arrière et de ne pas s'étonner de sa façon de conduire à l'approche de la résidence de Hughes. Waldron dit qu'il avait reçu l'ordre de rouler entre trois et six kilomètres à l'heure et d'arrêter à un endroit convenu pour y attendre le feu vert.
—Ils nous observent à la jumelle de la maison, dit Waldron sans donner plus d'explications.

Quand ils atteignirent l'endroit, en contrebas de la maison, Waldron arrêta la voiture.

—Nous avons attendu, et attendu, et attendu, dit Stewart. Au bout d'un moment, j'ai eu besoin de me soulager la vessie. Je me suis retenu le plus longtemps possible, espérant que le type aux jumelles se déciderait à nous faire monter. Finalement, j'ai dit à Waldron que j'avais besoin de me soulager. Il fut très embêté.

—Non, non, vous ne devez pas sortir de la voiture ! Monsieur Hughes a donné des instructions très précises à ce sujet.

—Alors, je vais pisser *dans* la voiture, répliqua Stewart.

—Attendez, attendez! J'ai une solution.

Il se pencha, ouvrit la boîte à gants et en retira une petite vache à eau de toile blanche, qu'il vida et tendit à Stewart en disant :

—Faites là-dedans.

—J'étais donc là, à moins de trente mètres d'une maison où il y avait cinq ou six salles de bains, à devoir pisser dans une gourde en toile. Quand ça été fait, je l'ai rebouchée, et Waldron l'a remise dans la boîte à gants.

Juste à ce moment-là, un type est sorti de la maison et a crié :

— Ça va, vous pouvez venir maintenant.

L'homme les attendait devant la maison. Il dit à Stewart de faire bien attention en montant l'escalier et de se tenir sur la gauche.

— Je lui ai dit que je savais monter un escalier, dit Stewart. Le gars m'a répondu : « Vous ne comprenez pas. Il y a une souris morte sur une marche du côté droit. » Il n'expliqua ni la présence de cette souris morte, ni pourquoi on en faisait le tour plutôt que de l'enlever.

On l'introduisit à nouveau dans la chambre d'un Hughes nu et mal tenu. Plus tard il devait coiffer Hughes plusieurs fois dans sa villa de Bel-Air.

Les instructions du milliardaire devenaient de plus en plus bizarres. Il fit acheter pour quatre-vingt-huit dollars de shampooing Nutrex à Stewart, puis refusa de se laisser laver les cheveux avec. Il autorisa le coiffeur à les lui laver, si l'on peut dire, avec du Minipoo, shampooing sec utilisé dans les hôpitaux pour les malades qui ne peuvent prendre de douche. On en saupoudre les cheveux qu'on se contente ensuite de peigner.

Hughes tenait spécialement à ce que Stewart achète de nouveaux ciseaux à chaque fois, et spécifiait qu'ils devaient être en acier allemand de Solingen. Il fallait trois douzaines de peignes neufs pour chaque coupe de cheveux, et il exigeait que peignes et ciseaux soient détruits après chaque séance.

Entre-temps, Stewart vendit son salon de Huntington Beach et en ouvrit un autre dans l'Utah. Plusieurs fois, il reçut un appel d'urgence de venir coiffer Hughes à Bel-Air. Il prenait l'avion, avait une chambre retenue à l'hôtel Hollywood-Roosevelt et y demeurait plusieurs jours avant qu'on lui dise que le rendez-vous était annulé. L'organisation Hughes payait toutes ses dépenses, plus de généreux honoraires (quelquefois cinq cents dollars, une fois mille) pour ne pas avoir coiffé le milliardaire.

En 1968, Stewart abandonna la coiffure et suivit des cours pour devenir infirmier. Quand les gens de l'organisation découvrirent qu'ils perdaient leur coiffeur, Stewart reçut un appel urgent lui enjoignant de se rendre à Las Vegas. On l'installa dans une suite au Desert Inn, sous le nom de « Norman Scott », et on lui offrit un poste permanent dans l'escorte de Hughes.

— J'avais pensé que ce serait une petite excursion de week-end, mais ils m'ont gardé quatre mois. J'ai téléphoné à ma femme et lui ai dit d'annuler mon inscription aux cours d'infirmier.

De même qu'il ne permettait pas aux médecins de le soigner, Hughes avait maintenant un coiffeur à plein temps à qui il ne permettait pas de lui couper les cheveux.

Le monde entier savait, dès le début des années soixante, que Howard Hughes s'était retiré, mais peu de gens, même à l'intérieur de son empire, et certainement personne de l'extérieur, savaient que sa réclusion était totale, et quelle en était la cause. On pensait généralement qu'il évitait simplement la horde d'huissiers qui se présentaient partout où il était susceptible de se trouver, pour lui remettre des convocations relatives à l'énorme procès avec la T.W.A., entre autres.

En 1960, Hughes avait perdu le contrôle de la T.W.A. lorsqu'un consortium de banques et d'institutions financières avait exigé qu'il mette tout le capital sous le contrôle d'un cartel de consultation que dirigerait le consortium en question. L'année suivante, la nouvelle direction de la T.W.A. poursuivit Hughes en justice pour mauvaise gestion. La Hughes Tool Co. intenta un contre-procès et l'une des batailles légales les plus longues, les plus compliquées et les plus coûteuses de l'histoire des corporations aux États-Unis s'engagea.

David B. Tinnin, dans son étude sur le procès de la T.W.A. intitulée « Tout le monde contre Howard Hughes », donne une idée de ses dimensions :

Les sommes en cause étaient gigantesques. Le montant des poursuites et des contre-poursuites dépassait le demi-milliard de dollars. La préparation des dossiers et les retombées du procès occasionnèrent des dépenses du même ordre. Par une conséquence indirecte du conflit, un constructeur d'avions américain parmi les plus importants perdit quatre cent quatre-vingt-trois millions de dollars en trois ans, la plus grosse perte jamais subie en un temps aussi court par une entreprise américaine. Résultat hautement ironique des poursuites, la plus grosse somme d'argent qui soit jamais passée en une seule fois entre les mains d'un seul individu, alla dans celles de l'homme contre lequel l'action avait été intentée.

Les dispositions écrites et les témoignages verbaux furent souvent d'une longueur incroyable. L'ensemble des documents comptait plus d'un million sept cent mille pages et occupait deux cent trente mètres d'étagères. Les témoignages préliminaires — certains témoins passèrent trois mois à la barre — remplirent quatorze volumes, chacun plus épais qu'un annuaire de téléphone de Manhattan. Ceux qui devaient suivre remplirent encore une douzaine de volumes...

Argumentant à partir de positions diamétralement opposées, disposant de budgets pratiquement illimités et secondés par des escouades d'assistants, les avocats plaidèrent non pas une mais deux fois à tous les niveaux du système judiciaire fédéral, du tribunal de district à la

Cour suprême des États-Unis. Au plus fort du procès, plus de quarante hommes de loi et enquêteurs touchaient des honoraires journaliers de dix-sept mille dollars. Les honoraires, frais de justice et frais divers montèrent à au moins vingt millions de dollars, une fortune.

Le procès de la T.W.A. déclencha une des plus grandes chasses à l'homme des temps modernes. Les avocats et la direction de la T.W.A. cherchaient désespérément à amener Hughes à la barre ou, tout au moins, à le forcer à se montrer et à faire personnellement une déposition sous serment; ce n'était pas déraisonnable de leur part: Hughes était au centre du procès; il avait été l'empereur de la T.W.A. et avait pris seul toutes les décisions importantes. Mais, comme il est indiqué dans la recette classique du civet de lapin: « d'abord, attraper le lapin »; pour amener Hughes au procès, il fallait d'abord l'attraper.

Le ressentiment que l'attitude de Hughes inspirait aux directeurs de la T.W.A. augmenta l'intensité de la « chasse ». De leur point de vue, Hughes se mettait au-dessus des lois. *Eux* se conformaient aux exigences de la loi et ils voulaient qu'il en fasse autant. Ils avaient des heures de bureau régulières; quand ils se déplaçaient, c'était aux yeux de tous, les avocats de Hughes n'eurent aucun mal à les assigner à comparaître. Quelques-uns d'entre eux passèrent des mois à la barre sous serment, tournés et retournés sur le gril par l'agressif Chester Davis et ses confrères. Leur amertume envers le milliardaire invisible s'exprima en plein tribunal par l'intermédiaire John Sonnett, principal avocat de la T.W.A.

— Ses clients, dit-il, étaient des hommes d'affaires éminents... s'acquittant d'un devoir civique essentiel... Mais je ne sais pas combien de temps ces hommes se laisseront ainsi malmener par un homme qui se cache, semble-t-il, dans quelque ruelle, dans une décharge, quelque part dans le désert, et qui mène ses affaires dans les cabines de téléphone et dans les toilettes pour hommes par amour du secret.

Pour débusquer Hughes, les gens de la côte est engagèrent un jeune avocat, Fred Furth, et un vétéran du F.B.I. à la retraite, Albert Leckey. Les deux hommes partirent pour la côte ouest et engagèrent une escouade de détectives privés. Disposant d'un budget généreux, ils appliquèrent toutes les techniques de chasse à l'homme apprises par Leckey au F.B.I. Leckey fit savoir, dans le milieu des journalistes spécialistes de Hughes, que tout indice menant à la découverte de Hughes serait largement récompensé. Des offres similaires furent faites à plusieurs employés de Romaine Street, connus pour ne pas être satisfaits de leurs conditions de travail.

En réponse à cette chasse à l'homme, Hughes chargea Bob Maheu d'une contre-opération. Maheu avait une grande expérience de ce genre de travail: durant la Seconde Guerre mondiale, il était dans la section de contre-espionnage du F.B.I. Quand il accepta la tâche de dérouter les chasseurs de Hughes, il revenait d'une mission secrète pour le compte de la C.I.A. (dont la nature ne fut connue que vers 1970).

En 1960, Maheu avait recruté Johnny Rosselli et, par son intermédiaire, Sam « Momo » Giancana pour assassiner Fidel Castro, son frère Raul et « Che » Guevara. La mission, basée à Miami, devait coïncider avec l'attaque de la Baie des Cochons.

Un document du ministère de la Justice décrit Rosselli comme un mafioso et un ancien tueur professionnel. Giancana était un des chefs de la pègre de Chicago, un homme trapu, au regard froid, dont le dossier à la section du crime organisé du ministère de la Justice avait plus d'un mètre d'épaisseur.

Le but du complot était de supprimer les trois chefs marxistes cubains au moment où l'assaut de la Baie des Cochons serait lancé. C'était une opération « cloisonnée » de la C.I.A. de type classique. Si les tueurs recrutés par la C.I.A. étaient pris, la tentative de meurtre serait imputée à la Mafia qui, dirait-on, cherchait à se venger de Castro qui avait fermé les casinos après sa prise du pouvoir à Cuba.

Plusieurs tentatives pour supprimer les chefs cubains avaient échoué. L'attaque de la Baie des Cochons tourna au désastre, parce que les informations sur la popularité de Castro auprès des Cubains étaient inexactes, et parce que le président Kennedy avait réduit l'appui aérien accordé aux mercenaires.

En 1975-76, moins d'un an après qu'une enquête du Sénat sur la C.I.A. eut révélé l'existence du complot pour le meurtre de Castro, Giancana et Rosselli furent assassinés par des inconnus. Giancana fut abattu dans la cave de sa maison dans l'Illinois et le corps de Rosselli fut découvert dans un baril de métal flottant au large de Key Biscayne.

Chargé de recruter les tueurs de la Mafia, Maheu avait efficacement accompli sa mission. Son rôle dans le complot anti-castriste était à ses yeux un service rendu à sa patrie, une « opération militaire ».

Il en vint, avec le temps, à considérer avec moins d'orgueil les missions accomplies pour Howard Hughes.

— Hughes m'a mené au sommet de la montagne et m'a fait miroiter les plaisirs du grand monde, dit Maheu ; j'ai laissé l'argent et le pouvoir pourrir des principes auxquels je tenais.

Si sa mission secrète pour la C.I.A. n'avait pas abouti, Stewart réussit parfaitement à déjouer les enquêteurs venus de la côte est. Les hommes de Leckey suivaient les traces de Hughes, mais ceux de Maheu suivaient les leurs.

Cette affaire, et d'autres de plus en plus importantes que lui confia Hughes, amenèrent Maheu à vendre sa maison de Washington, abandonner ses autres clients et travailler à plein temps pour Hughes. Il acheta et fit aménager une belle maison à Pacific Palisades ; pendant les travaux, il habita Brentwood.

Un matin, il vit Leckey passer devant chez lui. Désespérant de trouver Hughes, Leckey suivait maintenant Maheu, dans l'espoir que celui-ci le conduirait à la cachette du milliardaire.

Maheu attendit que Leckey eut dépassé la maison, sauta dans sa voiture (une Cadillac équipée de deux téléphones), dépassa Leckey et se rabattit, le forçant à s'arrêter.

— Écoute, Leckey, dit-il à son adversaire, Hughes possède soixante-dix-huit pour cent de la T.W.A., qui te paie ; ça veut dire que Hughes paie soixante-dix-huit pour cent de ton salaire. C'est un homme qui exige un travail correct, alors va-t-en à la recherche de Hughes, et arrête de me suivre *moi.*

Maheu avait recours à tout un arsenal de feintes et de déguisements pour désorienter l'ennemi. Pendant plusieurs années, l'organisation Hughes employa un acteur d'Hollywood appelé Brooks Randall, qui ressemblait étonnamment à Hughes, ou plus exactement au souvenir qu'on avait de Hughes.

On laissait filtrer la nouvelle que Hughes avait déménagé dans le nord de la Californie ou à Palm Springs, ou dans une autre de ses anciennes résidences favorites. Puis Randall faisait une série d'apparitions, dans des restaurants discrets, en se cachant d'une façon trop ostentatoire pour ne pas attirer l'attention. Leckey et ses adjoints ainsi appâtés perdaient des semaines à chercher Hughes bien loin de sa véritable cachette.

Cette chasse à l'homme et le fait que Hughes n'avait pas été vu en public depuis des années attirèrent l'attention de *Time*, de *Life*, de *Newsweek*, du *Saturday Evening Post*, et d'une floppée d'autres journalistes et photographes de presse. Ils se joignirent à la chasse, qui prit les dimensions d'un gigantesque safari.

Le chef des « gardes du harem », Mike Conrad, et la doublure de Hughes, Brooks Randall, furent chargés de monter une machination pour dérouter les chasseurs et la presse de plus en plus indiscrète.

Conrad emmena Randall dans une région montagneuse et boisée, et prépara la mise en scène d'une photo. Elle montrait le faux Hughes assis sur une véranda rustique, plongé dans une conversation avec plusieurs autres hommes. La photo fut prise au téléobjectif, pour donner l'impression qu'elle avait été prise de loin et clandestinement, mais elle était assez nette pour que des gens qui avaient vu Hughes à sa dernière apparition en public soient frappés par la ressemblance.

Conrad essaya ensuite de refiler la photo à *Newsweek*, en faisant jouer à une de ses amies un rôle à la Mata-Hari. Il se présenta à Richard Mathison, chef du bureau de *Newsweek* à Los Angeles. Mathison préparait un reportage sur la chasse à l'homme, et *Newsweek*, le pressait d'obtenir une photo récente du milliardaire pour la couverture.

L'amie de Conrad joua bien son rôle. Elle rencontra Mathison plusieurs fois dans un bar mal éclairé, ne lui montra la photo que quelques secondes et lui en demanda mille cinq cents dollars.

— Comment peut-on espérer trouver Hughes, disait-elle, sans avoir de quoi il a l'air ?

Elle raconta que son frère était un pilote de Hughes, qu'il s'était échappé un après-midi et avait pris la photo en cachette. *Newsweek* ne voulait payer mille cinq cents dollars pour la photo que si Mathison en garantissait l'authenticité, et lui ne voulait pas le faire sur un simple coup d'oeil dans un bar sombre. *Newsweek* publia donc l'histoire sans la photo.

La « Mata-Hari » tenta le même manège avec le *Saturday Evening Post* pour le compte duquel l'auteur de ce livre préparait un article sur « la chasse à l'homme de la T.W.A. ».

Conscient que tout ce qui concernait Howard Hughes était à double-fond, l'auteur donna rendez-vous à la personne, et la fit suivre par un détective privé quand elle repartit avec la photo. Une centaine de mètres plus loin elle monta dans une voiture dont l'immatriculation mena le détective à une agence de location de Glendale. Par cette agence, il apprit que la voiture avait été louée par Mike Conrad.

Confronté avec ces faits, Conrad avoua que la photo de Hughes était un faux.

Sur le moment, on pouvait ne voir dans cette histoire de photo qu'une diversion compliquée, justifiée par l'enjeu de la partie de cache-cache engagée avec l'adversaire. En fait, l'enjeu était plus grave et plus désespéré.

La raison pour laquelle on essayait de faire passer une photo d'un Hughes se comportant normalement était que, justement, Hughes ne se comportait plus normalement. Ce n'était pas par aversion loufoque de la publicité qu'il ne voulait pas apparaître devant un tribunal, c'était parce qu'il en était incapable. Le cercle fermé de l'entourage de Hughes avait essayé de faire passer la fausse photo pour cacher la vérité sur le milliardaire. Comme les poupées gigognes, la mascarade Brooks Randall — Mike Conrad en cachait une autre plus complexe.

Pendant toutes les années que dura le procès de la T.W.A., Howard Hughes ne vit personne que ses assistants les plus proches et sa femme. Il ne vit pas une seule fois Robert Maheu, ni Chester Davis, son principal avocat, qui avait la responsabilité du procès, ni Raymond Holliday, vice-président-directeur général de la Hughes Tool Co., dans le procès, ni son avocat personnel, Gregson Bautzer, ni le chef de ses assistants, Bill Gay.

Tout le monde pensait que ces gens-là avaient de fréquents contacts personnels avec Hughes, et ils le laissaient croire. Maheu avait trouvé une réponse à faire pour les journalistes :

— Ceux qui disent qu'ils le voient ne le voient pas et ceux qui le voient ne le disent pas !

Après la mort de Hughes, Greg Bautzer donna une interview dans laquelle il disait combien « toutes ces fausses représentations qui circulaient sur le compte de Howard Hughes » le mettaient en colère.

— Tout le monde a raconté que les ongles de ses orteils n'étaient jamais coupés, que sa barbe lui descendait jusqu'au nombril. Remettons les choses au point. D'abord, il a toujours été propre ; je l'ai vu pendant vingt-cinq ans, et s'il ne portait pas toujours les vêtements appropriés dans toutes les occasions — il lui arrivait souvent de ne pas mettre de cravate, quand il en fallait une — il était toujours bien peigné. Je l'ai vu avec une barbe, mais elle était bien taillée et soignée ; je l'ai vu sortir de la douche... et je ne lui ai jamais vu les ongles des doigts de pieds trop longs.

Tout ceci était parfaitement vrai à l'époque où Bautzer fréquentait Hughes, quand ensemble ils couraient les starlettes à l'oeil de biche dans ce Hollywood de la fin des années trente. Mais d'après les proches de Hughes,

Bautzer ne vit pas une seule fois le milliardaire durant les quinze dernières années de sa vie.

Par contre, ceux qui l'ont vu n'ont effectivement rien raconté. Pendant le procès de la T.W.A., c'étaient Roy Crawford, Howard Eckersley, Levar Mylar, John Holmes et George Francom. Les gardes à la grille de ses résidences de Rancho Santa Fe ou de Bel-Air ne le voyaient pas; Mike Conrad non plus; ni les banquiers auxquels il cherchait désespérément à emprunter de l'argent pour récupérer la T.W.A.; ni Bill Gay; aucun de ses hommes de loi.

Tout le temps que dura ce grand procès, Hughes se terra dans sa chambre sombre, passant et repassant ses films. Il avait maintenant tellement peur des microbes qu'il refusait de toucher un objet que quelqu'un lui passait s'il n'était enveloppé de Kleenex. Il n'allait pas de son lit à la salle de bains sans avoir disposé un sentier de serviettes en papier sur lequel marcher. Il était resté trois ans sans se faire couper les cheveux.

Dans l'état d'angoisse où il s'était mis, avec l'apparence négligée qu'il avait, la pensée de comparaître devant un tribunal ou dans le bureau de quelque homme de loi hostile devenait un cauchemar intolérable. Il n'est pas difficile d'imaginer quel crédit on aurait accordé aux affirmations de ses avocats — que Hughes était le propriétaire compétent d'une grande compagnie aérienne — s'il s'était rendu à la barre sur un tapis de serviettes en papier déposé par ses aides, ou s'il avait exigé que l'huissier enveloppe la Bible de Kleenex avant de lui faire prêter serment[1].

Tout ce que ses avocats savaient, c'est qu'il avait dit: « Je ne veux pas aller au tribunal. »

[1] N.D.T.: Dans le droit anglo-saxon ou nord-américain, le témoin doit jurer sur la Bible de dire la vérité.

Ils n'avaient pas à savoir pourquoi. Des milliers d'avocats passèrent des heures à éplucher les traités de droit et de jurisprudence pour essayer de convaincre les juges qu'ils ne pouvaient exiger que le personnage central du procès T.W.A. témoigne à la barre.

Les juges ne se laissèrent pas convaincre, et Hughes se laissa condamner par défaut plutôt que de témoigner. Il fut condamné à payer 145.448.141,07 dollars. Bien que le Répertoire Guinness des records du monde ne le mentionne pas, c'est certainement le prix le plus élevé qu'un homme ait jamais payé le privilège de rester caché dans une chambre aux volets clos.

Mais, dans cet isolement pitoyable, il triompha tout de même. Bien avant d'être condamné à cette lourde amende, Hughes avait dû se séparer de toutes ses actions de la T.W.A. Cette perte allait lui rapporter des sommes fabuleuses : quand les financiers de l'Est lui arrachèrent le contrôle de la compagnie en 1961, l'action côtait à treize dollars à la bourse de New Yor k. Sous l'impulsion du nouveau président, Charles Tillinghast, la T.W.A. commença à réaliser des bénéfices spectaculaires. L'action décolla en flèche comme l'un des avions de la compagnie et atteignit la cote de quatre-vingt-seize dollars en 1965.

C'est au printemps de 1965 que Hughes fut obligé de vendre ses actions. Il les vendit quatre-vingt-six dollars chacune. Déduction faite des frais de courtage, il reçut quatre-vingt-trois dollars net par action, soit un chèque de plus d'un demi-milliard de dollars ($546.549.771).

Il avait dû vendre au plus haut cours du marché. L'action piqua ensuite du nez, et, comme un oiseau blessé, revint à sa position initiale. À la mort de Hughes, l'action T.W.A. cotait de nouveau treize dollars.

Il y a des gens qui maintiennent que Hughes, malgré son comportement de fou, était un financier de génie.

Dietrich, l'homme qui l'a connu le plus longtemps et le mieux, prétend au contraire que tout ce dont Hughes s'occupait personnellement était bientôt plongé dans le chaos. Dietrich souligne que les entreprises les plus florissantes — la Hughes Tool Co., et la Hughes Aircraft après 1954 — étaient celles qui étaient gérées par d'autres, sans intervention de Hughes. Il est difficile de voir une quelconque habileté financière dans le coup triomphal de la T.W.A. Au moment où le contrôle fut arraché à Hughes, la compagnie traînait derrière ses concurrents et perdait des millions. Hughes critiqua amèrement la nouvelle gestion, pourtant fructueuse. Il résista pendant des années aux efforts déployés pour le forcer à vendre ses actions, et ne vendit finalement que contraint et forcé.

Ses ennemis l'emportèrent et s'emparèrent de sa compagnie favorite. Il ne resta à Hughes que de se retrouver plus riche.

En 1966, après avoir touché son billet de loterie de cinq cent quarante-six millions de dollars, Hughes fit, en train, son célèbre « voyage-mystère » à Boston. On chuchotait que c'était pour y subir une intervention chirurgicale dans une clinique renommée. En fait ses assistants réquisitionnèrent le cinquième étage de l'hôtel Ritz Carlton et l'y cachèrent dans une nouvelle chambre obscure. Il ne consulta pas un seul médecin.

Il fit ce voyage avec son escorte, mais sans sa femme. Pendant que ses hommes de loi tentaient vainement d'imposer sa volonté à la T.W.A. et aux banquiers de l'Est, Hughes était en train de perdre une bataille qui opposait sa volonté à celle de Jean Peters. Il avait décidé de quitter la Californie et Jean ne voulait pas partir. L'homme qui n'acceptait jamais qu'on lui dise non partit donc seul à Boston. Il avait décidé de s'installer soit à Montréal, soit aux Bahamas, et il était venu à Boston pour y faire son choix. Son voyage en train, pensait-il, forcerait Jean à changer d'idée. En fait, ce fut la fin de leur mariage, bien que la dissolution légale n'ait été prononcée que quatre ans plus tard.

Jean vint à Boston une fois durant le séjour de son mari, pour une visite de quelques jours. Hughes lui dit qu'il avait décidé de prendre ses quartiers à Las Vegas. Elle répondit qu'elle n'irait pas à Las Vegas. Ensuite elle retourna en Californie et ne revit jamais Howard Hughes.

Hughes refusa de croire qu'elle ne changerait pas d'avis. Il reprit donc le train vers l'Ouest, entouré de dispositions de sécurité renforcées, et le jour de l'Action de Grâces [1] 1966, il s'installa incognito au dernier étage du Desert Inn, à Las Vegas.

Il avait soixante et un ans. L'affaire de la T.W.A. lui avait rapporté, impôts sur le capital payés, approximativement quatre cent quarante-cinq millions de dollars qui venaient s'ajouter en liquide à ses intérêts dans d'autres entreprises, aux terrains, à la Hughes Tool Co., à ses autres compagnies.

Un agent de change s'amusa à calculer que si Hughes avait investi ses seuls bénéfices de la T.W.A. en bons municipaux non imposables, il aurait eu une rente annuelle exempte d'impôt de plus de vingt-six millions de dollars, soit soixante-treize mille dollars par jour, tous les jours de l'année, samedis, dimanches et jours de congés inclus.

La chronique des grands acquéreurs de possessions abonde en anecdotes sur la façon dont, avec l'âge, quand ils commencent à penser à leurs fins dernières, ils

---

[1] N.D.T. : Le « Thanksgiving Day », ou journée d'actions de grâces, est traditionnellement fixé au dernier jeudi de novembre. Il fut institué en 1621 par les premiers colons de Plymouth en signe de gratitude pour leur première récolte.

renoncent à acquérir davantage pour essayer d'accomplir avec leur argent quelque chose d'utile à la collectivité. Andrew Carnegie a fait construire des bibliothèques publiques dans tout le pays. Les Ronsenwald ont doté une Fondation pour l'amélioration de la situation des Noirs. D'autres encore ont subventionné des musées, des galeries d'art, des universités...

Hughes prit l'argent qu'il avait retiré de la T.W.A. et entreprit d'acheter toute une série des machines à faire de l'argent de Las Vegas, des casinos. Là encore cependant, ce n'était pas l'argent qui l'intéressait mais la puissance que représentait cet argent.

Las Vegas est une ville où tout marche à l'argent, et le Nevada était l'État rêvé pour un homme dont l'ultime et insatiable passion était la puissance.

Le Nevada est l'un des plus petits États de l'Union pour la population ; il n'a qu'une seule industrie, le jeu, et les propriétaires de casinos y sont la base du pouvoir politique.

Jusqu'à l'arrivée de Hughes, personne n'avait jamais possédé tout seul un casino important. Lui en acheta sept.

En deux ans, il fut aussi près de posséder la totalité du Nevada, que personne l'a jamais été de posséder un des États souverains de l'Union. Il imposait sa volonté à la législature, aux agences locales du gouvernement, aux commissions de l'État. Il achetait les politiciens corps et âme ; sur un geste, ils venaient lui manger dans la main.

Tout cela, il le fit allongé sur un vieux transat percé. Il se levait maintenant si rarement qu'il avait de grosses escarres aux épaules et dans le dos.

Les escarres affectent généralement les gens âgés, confiés à des maisons de retraite qui manquent de personnel ou qui négligent leurs clients les moins fortunés. Hughes en avait parce qu'il avait cessé de dormir dans un lit. Il travaillait dans son transat quand il était éveillé et lucide, il y dormait lorsqu'il était fatigué. Il aggravait ses escarres en s'obstinant à dormir sur le dos.

— Il n'y avait absolument pas moyen de le faire dormir sur le côté ou sur le ventre, dit Stewart.

Maintenant, non seulement il ne quittait pas sa chambre obscure, mais encore il ne bougeait que rarement de son vieux transat.

Gordon Margulis fut à son service neuf mois avant de le rencontrer. Au début, son travail consistait à aller chercher les repas des assistants dans les restaurants du Desert Inn.

— La porte de la chambre de Hughes était toujours fermée. Un jour que je venais d'apporter la nourriture au Bureau et que je me préparais à repartir, la porte de la chambre s'ouvrit et ce que je vis me laissa stupéfait : c'était un homme grand et décharné, avec une barbe qui lui tombait sur la poitrine, et des cheveux qui lui arrivaient au milieu du dos. Il ne portait qu'un caleçon ; il avait les épaules voûtées et se tenait penché en avant, les bras ballants. Il avait les yeux enfoncés dans les orbites, et ressemblait à un vieux sorcier...

... Il ne dit rien, se contenta de me regarder puis rentra dans sa chambre et referma la porte.

On dit à Margulis de ne raconter ce qu'il avait vu à personne. Il comprit aussitôt ce que cela voulait dire.

Quelques semaines plus tôt seulement, le *Review Journal* de Las Vegas avait publié un article à la une. Longuement sollicité par le gouverneur Laxalt, Robert Maheu avait organisé un événement historique : un entretien entre le gouverneur du Nevada et Howard Hughes. Le *Review Journal* titra sur huit colonnes à la une : « *Le Gouverneur parle à Hughes au téléphone.* »

Margulis n'avait pas parlé à Hughes, mais il avait fait beaucoup mieux : comme Dorothée regardant derrière l'impressionnante silhouette de papier mâché, Margulis avait vu le vrai, le pitoyable « Sorcier de Oz ».

Quand Margulis eut quitté le Bureau, Hughes appela ses assistants et les questionna longuement sur « ce type ». Ils lui dirent qu'il s'appelait Gordon Margulis, qu'on avait vérifié ses tenants et aboutissants, qu'il était discret, que c'était un bon garçon et qu'on avait besoin de lui pour faire la liaison entre l'étage et l'hôtel.

À partir de ce moment, Gordon entra et sortit librement du Bureau. Mais la réclusion de Hughes était si complète qu'en trois ans Margulis ne l'aperçut que trois fois.

En 1970, non seulement Margulis vit Hughes, mais Hughes lui parla. Il regarda Margulis et dit :

« Salut, Gordon. »

4

LA CABINE DE TÉLÉPHONE MAGIQUE

Quand Hughes arriva à Las Vegas le jour de l'Action de Grâces 1966, deux hôtes inattendus étaient là pour l'accueillir, Nadine Henley, souriante et rebondie, ses cheveux blonds bien coiffés, et Kay Glenn, l'élégant trésorier de l'escorte, émissaire de Bill Gay.

Hughes arriva à quatre heures du matin par un train spécial empruntant la ligne secondaire de l'Union-Pacific qui descend de l'Utah. Son voyage depuis Boston avait été aussi soigneusement organisé et aussi précisément minuté que le jour « J » du débarquement allié en Normandie. Il devait arriver avant l'aube, embarquer dans une camionnette qui l'attendait à Las Vegas-Nord et devait l'amener en vitesse au Desert Inn dans les premières heures de la matinée, pendant le court moment où le « Strip » de Las Vegas est désert.

Entre Chicago et l'Utah, une crise se dessina. La « Ville de Los Angeles », qui tractait les deux wagons spéciaux, prit du retard sur l'horaire. Les wagons de Hughes manqueraient la correspondance prévue à l'embranchement dans l'Utah, et arriveraient à Las Vegas *en plein jour*. La nouvelle de cette catastrophe imminente fut télégraphiée à Robert Maheu qui contrôlait le voyage de son poste à Las Vegas. Maheu prit ses responsabilités. Il affréta, pour dix-sept mille dollars, une locomotive particulière, y fit accrocher les wagons de Hughes, qui arrivèrent à Las Vegas juste à l'heure. Le débarquement du milliardaire dans la cité du jeu du Nevada se déroula comme prévu, sans que l'ennemi — la presse et le reste de l'humanité — s'aperçut de rien.

Madame Henley et Kay Glenn ne le virent pas non plus. Déçus, ils regagnèrent leurs suites d'hôtel dans Las Vegas, firent savoir qu'ils étaient en ville et attendirent les instructions. Ils n'eurent pas à attendre longtemps; de l'étage réservé du Desert Inn leur parvint un message de Hughes :

« Retournez à Romaine. »

Ils firent leurs bagages et retournèrent à Romaine. Ils ne posèrent aucune question, ne demandèrent aucune explication, mais ils étaient troublés. Bill Gay le fut aussi quand il apprit l'incident; pendant les années où Hughes s'était terré à Bel-Air, il ne le voyait jamais non plus, mais au moins le milliardaire était tout près — à peine huit kilomètres — et tout passait par Romaine. Maintenant, il était à cinq cents kilomètres, dans cette Sodome-et-Gomorrhe du désert que Bill Gay et Nadine Henley avaient toujours détestée, et Maheu était à ses côtés...

Ils étaient inquiets de l'autorité et du prestige croissants de Maheu. C'était Maheu, et non pas Gay ou le loyal Kay Glenn, qui avait été envoyé en éclaireur s'occuper du projet Las Vegas. Les assistants mormons de Hughes avaient fait parvenir de Boston des rapports discrets sur les communications de plus en plus fréquentes entre Hughes et Maheu.

Maheu était parti à Las Vegas plusieurs semaines avant l'arrivée de Hughes, avec mission de trouver une résidence appropriée pour le milliardaire et ses assistants, c'est-à-dire tout le dernier étage d'un hôtel. Il s'était inscrit au Desert Inn sous le nom de Robert Murphy. Hughes l'avait prévenu que le nom de Maheu était associé au sien propre et que le fait d'utiliser son vrai nom «foutrait tout par terre».

L'usage d'un pseudonyme ne posait aucun problème à Maheu. Au F.B.I., il avait vécu deux ans sous le nom de Robert Marchand alors qu'il «couvrait» un ancien espion français rallié aux Nazis maintenant agent double. Mais à Las Vegas, ce nouveau nom donna des inquiétudes au jeune fils de Maheu, Billy, qui ne demandait pas mieux que de s'appeler Billy Murphy!

—Je peux facilement me rappeler que je suis Billy Murphy, papa, dit-il à son père, mais si je vais à l'école ici, il va falloir que tu me dises comment ça s'écrit.

Hughes fut ravi de la façon dont Maheu s'occupa du déménagement à Las Vegas et de l'esprit de décision dont il avait fait preuve pour résoudre les problèmes posés par le retard de son train. Il lui donna une nouvelle mission: acheter le Desert Inn.

Une légende était née, voulant que les propriétaires du Desert Inn, peu après l'arrivée de Hughes, aient demandé à récupérer le dernier étage de l'hôtel pour satisfaire les demandes qui affluent au moment des vacances; et Hughes aurait claqué des doigts:

—Achetez l'hôtel!

La vérité est moins pittoresque et plus conforme au caractère de Hughes. Il était venu dans l'Ouest avec l'intention d'investir une grande partie du produit de la vente T.W.A. à Las Vegas. Le jeu complexe des lois relatives à l'impôt l'obligeait à convertir ses bénéfices de capital passif en capital actif, s'il ne voulait pas subir une très sévère ponction. S'il y avait une chose qui effrayait Hughes davantage que la piqûre d'un microbe invisible, c'était la morsure d'un percepteur.

Maheu négociait au jour le jour avec les propriétaires du Desert Inn, mais Hughes gardait la haute main sur la stratégie. Il aimait acheter par-dessus tout, avec la passion d'un joueur de Monopoly invétéré, et il se battait pour chaque «Boardwalk» et chaque «Park Place» comme si sa vie en dépendait.

Les négociations pour le Desert Inn étaient compliquées par le grand nombre de ses propriétaires. Moe Dalitz était majoritaire, mais il avait des partenaires et la moindre concession faite à Hughes devait être consentie par tous.

Avec Maheu comme émissaire, Hughes se livra à son passe-temps favori : user ses adversaires jusqu'à ce qu'ils cèdent, épuisés. Il disait à Maheu de faire une offre et de la faire accepter du groupe Dalitz ; il trouvait alors un nouvel inconvénient à l'affaire et rabaissait son offre.

— Je montais et descendais dans l'ascenseur comme un yo-yo, raconte Maheu. Au rez-de-chaussée, je disais au groupe qui m'y attendait qu'on était tombé d'accord. Hughes soulevait alors une nouvelle objection. Cinq fois de suite, les propriétaires baissèrent substantiellement leur prix avant qu'il ne donne son accord final. Je suis redescendu, je leur ai dit que, cette fois, l'affaire était conclue ; nous nous sommes serré la main. Puis Hughes découvrit encore un détail qui lui déplaisait : il s'agissait de quinze mille dollars, dans un marché de treize millions !

— On en a marre de Hughes, on va monter là-haut dans la demi-heure qui vient et on va le foutre dehors.

Exaspéré lui-même, et fort gêné, Maheu demanda aux propriétaires de lui laisser une heure.

— D'accord, juste une heure ; mais après ça, dehors !

Maheu remonta au Bureau, écrivit un mot et dit à Roy Crawford de le donner à Hughes.

— Je lui dis que nous avions conclu un marché et que je l'avais scellé par une poignée de main ; s'il n'avait pas l'intention de l'honorer, je le quitterais sur-le-champ. Cela me faisait mal au ventre de le voir pinailler pour quinze mille dollars quand on en avait dépensé beaucoup plus, simplement pour le faire arriver à Las Vegas à l'heure.

Moins d'une minute plus tard, Hughes fit dire que ses avocats allaient établir l'acte sans le rabais de quinze mille dollars. Il fit aussi demander à Maheu de rester à Las Vegas car il voulait lui parler au téléphone le lendemain matin à huit heures.

Le lendemain matin, Maheu en témoigna au tribunal, Hughes lui parla deux heures au téléphone et le supplia « de ne plus jamais agir si précipitamment ».

— Il me dit que nous passerions le reste de notre vie ensemble ; il obtint de moi la promesse que je ne le quitterais jamais.

Hughes s'empressa d'accorder à Maheu le titre de directeur général des Opérations Hughes au Nevada. Même ce titre impressionnant était loin d'exprimer la réalité de son nouveau pouvoir. En compagnie de Hughes installé au Desert Inn Bob Maheu tenait maintenant les rênes de l'empire. D'ailleurs, son salaire reflétait sa position. Il fut établi à cinq cent vingt mille dollars par an (supérieur même au salaire de Dietrich, qui avait été le plus haut dans l'histoire de l'organisation Hughes).

De plus, Maheu conservait une certaine indépendance. Il ne faisait pas partie à proprement parler de l'organigramme de la Hughes Tool Co., mais demeurait le directeur de sa propre société, Robert A. Maheu et Associés, dont l'empire Hughes était le client. Il n'était pas salarié par la Hughes Tool Co., cette dernière payait ses services et il n'avait de comptes à rendre qu'à Hughes.

L'ascension de Maheu envoya des ondes de choc dans tout l'empire. Les épicentres du dépit se trouvaient à Romaine et à Houston, parmi les vétérans de la Hughes Tool Co. Le centre de Romaine était maintenant pratiquement sur une voie de garage. Pendant neuf ans, les appels téléphoniques de Maheu avaient été acheminés par le standard de Romaine, qui était aux mains de l'équipe Henley-Gay. Maintenant Maheu était en communication directe avec le milliardaire, par téléphone ou par messages transmis par les « Gardes du Palais ». Comme pour verser du sel sur les plaies infligées à l'orgueil de ses plus anciens directeurs, Hughes nomma Maheu « porte-parole officiel ». Dick Hannah, de l'Agence Byoir, qui avait longtemps été *le* porte-parole de Hughes, devenait *un* porte-parole parmi d'autres, et devait coordonner son action avec celle *du* porte-parole officiel. Dans la subtile hiérarchie du pouvoir des grandes corporations, le changement d'un simple mot peut créer la discorde.

Bill Gay restait ce qu'il avait été, vice-président de la Hughes Tool Co. Mais maintenant il était isolé à Romaine quand tout se décidait à Las Vegas. Lui et son mentor, Nadine Henley, avaient toutes les raisons de considérer Maheu comme un ingrat ambitieux qui les avait — quand ? comment ? — trahis et desservis auprès de Hughes. La passion de Hughes pour le secret étant ce qu'elle était, ils n'avaient aucun moyen de savoir que la déchéance de Romaine et de Houston était due à Hughes et non à Maheu.

En appelant Maheu à siéger à sa droite, Hughes lui avait dit qu'« il ne voulait pas voir » les gens de Houston à Las Vegas, exception faite des comptables ; il lui demanda aussi de tenir Bill Gay à distance.

Hughes expliqua plus tard, dans deux notes à Maheu, les raisons pour lesquelles il avait banni Gay de Las Vegas :

« À propos de Bill, vous n'avez pas l'air de vous rendre compte que l'amitié est à sens unique. Quand nous sommes venus ici, je vous ai demandé de ne pas inviter Bill, et de ne pas le tenir au courant de nos activités. Je pensais que vous auriez compris qu'il n'avait plus ma confiance. Les griefs que j'ai contre Bill sont profonds et remontent loin. Et puis il y a aussi une grosse somme d'argent entre nous. »

Dans le second mémorandum, Hughes disait :

« Au cours des sept ou huit dernières années, semaine après semaine, j'ai demandé à Bill, d'une façon pressante, de m'aider dans ma vie personnelle ; sa totale indifférence, sa mollesse à répondre à ces appels ont conduit à une rupture complète et, je le crains, irrévocable entre ma femme et moi.

« Désolé, mais je tiens Bill entièrement responsable de ce désastre, qui aurait pu être évité. Et c'est loin d'être tout. Si je voulais faire une liste des occasions où il a, à mon avis, manqué à son devoir envers moi ou envers la compagnie, j'en écrirais plusieurs pages... J'ai le sentiment d'avoir été abandonné, absolument, totalement et complètement abandonné. »

Bien que Maheu ait été plus tard écarté du pouvoir et remplacé par Gay, il reconnaît lui-même que « toute cette histoire de rendre Gay responsable du départ de Jean Peters était invraisemblable. À l'époque dont parlait Hughes, il se déplaçait encore. Il a voulu se servir de Gay pour raconter à Jean des mensonges compliqués pour cacher où il était et ce qu'il faisait. Un jour, il raconta que son avion avait fait un atterrissage forcé dans le désert, alors qu'en fait il était tout à fait ailleurs. Jean était trop intelligente pour donner dans de tels panneaux, et on ne peut vraiment pas le reprocher à Bill Gay. »

Quand Maheu prit son poste à la tête de l'empire, il habita l'ancienne maison de Dalitz, qui était un homme assez âgé, qui avait fait ses premières armes dans la pègre de Cleveland. « Chez Dalitz » était une vaste construction sans étage, juste à coté du Desert Inn ; meublée, selon un ami de Maheu, en « néo-chinois de Las Vegas ».

Puis, avec la bénédiction de Hughes, qui l'aida à choisir le terrain et avec son argent — six cent quarante mille dollars — Maheu fit construire une superbe villa de style « French colonial », au bord du troisième parcours du golf du Desert Inn.

Les habitants de Las Vegas, qui s'agenouillent volontiers devant la puissance tout en levant un sourcil critique, baptisèrent rapidement la résidence : « Little Caesars Palace », jeu de mots sur les nouvelles fonctions de Maheu et le luxe ostentatoire de la demeure, qui était aussi « tape à l'oeil » que le nouvel hôtel-casino du Strip[1], le « Caesars Palace », avec son restaurant « Noshorium » et son « Salon des slots[2] », une galerie de machines à sous!

---

[1] N.D.T. : Boulevard de ceinture de Las Vegas.

[2] N.D.T. : En américain, slot-machine = machine à sous.

Entre autres raffinements et confort, la villa de Maheu comprenait une cuisine avec cinq cuisinières, un patio extérieur pouvant recevoir cinquante invités, protégé de la fraîcheur de l'air nocturne par un invisible rideau d'air chaud, une « salle de presse » équipée d'un projecteur de cinéma, d'une chaîne stéréo assemblée sur commande et d'un des tout premiers systèmes d'enregistrement d'émissions de télévision sur vidéo-cassettes.

Mais l'appareil le plus significatif était tout de même la ligne de téléphone directe avec l'étage habité par Hughes au Desert Inn. Hughes pouvait maintenant prendre le téléphone et parler à son bras droit sans passer par le standard de Romaine. Il usait et abusait de cette possibilité.

— J'en arrivais à croire qu'un téléphone m'était poussé dans l'oreille, dit Maheu. Un jour, j'ai passé vingt heures au téléphone avec lui ; il lui arrivait souvent de m'appeler dix, quinze et même trente fois par jour.

Si le vidéophone avait existé et qu'un étranger eût regardé l'écran, il aurait juré que c'était Maheu le milliardaire, et qu'il parlait à un indigent à qui l'on venait de voler ses vêtements. Maheu était assis à un bureau brillant, dans une pièce spacieuse, dans le cadre que Mell Stewart avait imaginé pour Hughes avant de le rencontrer. À moins d'un kilomètre de là, Hughes, nu, émacié, seul, était affalé sur son vieux transat noir.

Quand il était venu s'installer au Desert Inn, la disposition de l'étage avait été modifiée pour satisfaire sa manie du secret. Le bouton du neuvième avait été enlevé dans les ascenseurs. Seuls ceux qui possédaient une clef spéciale pouvaient dépasser le huitième étage. Juste en face de la porte de l'ascenseur, quand on arrivait en haut, se tenait un garde armé, assis derrière un bureau.

Les gardes faisaient le trois-huit ; leur chef était le garde de jour, Pat O'Donnell, officier de police retraité, un costaud à cheveux blancs, au torse massif, qui donnait l'impression, et avait la réputation, de n'avoir peur de personne, que Dieu et le pape. C'était un fanatique de base-ball, et il réussit finalement, passant par-dessus les objections de l'économe John Holmes, à se faire installer un petit poste de télévision sur le mur pour pouvoir suivre les bonnes et mauvaises fortunes des « Dodgers ».

Sur le bureau du garde, deux téléphones : l'un relié au standard du Desert Inn, et l'autre branché directement sur le bureau de sécurité de l'hôtel ; il suffisait de soulever le combiné pour l'obtenir.

Derrière le bureau, Hughes avait fait bâtir une cloison percée d'une porte fermant à clef : si jamais quelqu'un réussissait à manipuler la serrure de l'ascenseur ou à obtenir un double de la clef spéciale, il se retrouverait isolé, face au garde sur le palier d'arrivée ; et si Hughes, par extraordinaire, sortait de sa chambre obscure, la cloison empêcherait ses gardes de l'apercevoir. En quatre ans de service au Desert Inn, ses propres gardes, en permanence à quelques mètres de lui, ne virent jamais leur employeur.

Le seul autre accès au neuvième étage était la cage d'escalier. La porte en était fermée à clef en permanence et le bouton de la porte du côté de l'escalier avait été enlevé.

La chambre du huitième étage qui se trouvait juste au-dessous de celle de Hughes était toujours vide et fermée à clef ; cela pour empêcher tout « ennemi » éventuel de l'espionner en utilisant un équipement spécial d'écoute.

Le garde de l'ascenseur tenait un registre méticuleux de toute personne arrivant à l'étage, qu'elle fût autorisée à entrer ou qu'elle vint seulement remettre un paquet ou un message. Sur ce registre étaient consignées les heures d'arrivée, l'identité, la nature des objets remis, et les heures de départ. Il y avait pas mal d'allées et venues au bureau de garde, mais presque personne, à part la Garde du Palais, n'était admis dans les appartements.

Les assistants occupaient la pièce centrale d'une suite de trois pièces appelée Appartement Numéro Un. La porte de cette pièce était munie d'un judas grillagé. Tous ceux qui passaient la porte de la cloison devaient subir une seconde inspection avant d'être admis dans le bureau. Les rares fois où quelqu'un était autorisé à y pénétrer, les assistants prévenaient Hughes, pour qu'il reste dans sa chambre. La plupart du temps, il y restait d'ailleurs de son propre chef.

Si Hughes était affligé de bien des phobies, la claustrophobie n'était certes pas de celles-là. Sa chambre était la plus petite de l'étage : elle ne mesurait que cinq mètres sur cinq mètres cinquante (« ... des richesses infinies dans une toute petite pièce »), infiniment moins que la chambre type des maisons à bon marché. Même ce maigre espace vital était encore réduit par des milliers de journaux et de magazines empilés le long d'un mur.

Pour appeler ses assistants, Hughes avait une petite cloche d'argent, mais il ne s'en servait que rarement. Contre sa chaise longue il y avait un sac de papier brun dans lequel il mettait son « isolant » de mouchoirs en papier quand il était « contaminé ». Quand il avait besoin de quelqu'un, il donnait un coup sec du doigt contre le sac : ses ongles trop longs faisaient un bruit de tambour qui faisait accourir un assistant.

Quand Hughes lui avait donné ses instructions ou remis un mémorandum à faire porter, l'assistant quittait la pièce. Il y avait peu ou pas de camaraderie[1] entre

[1] N.D.T. : En français dans le texte.

Hughes et ses hommes, pas de sentiment d'appartenir à une fraternité.

— Ils ne s'asseyaient jamais dans sa chambre pour blaguer, échanger des souvenirs ou faire des pronostics sur le classement des Dodgers, dit Margulis. Hughes n'y venait pas. De plus, il n'y avait pas la place. Quand les membres de son équipe n'étaient pas de service, il ne voulait même pas qu'ils restent à l'étage.

Il n'utilisait un de ses appareils auditifs qu'en de très rares occasions.

— Il comprenait ce qu'on disait si on était très près de lui, de face, et qu'on parlait fort, dit Stewart ; mais souvent il disait : « Ah merde ! Écrivez-moi ça ».

Quand le sujet était confidentiel, les assistants écrivaient le message pour ne pas être obligés de le crier et risquer d'être entendus par d'autres.

Sa vue aussi était mauvaise, mais il ne voulait pas porter de lunettes. Il utilisait une série de loupes qu'il appelait « mes voyeurs » ; sur l'une de ces loupes était fixée une lampe à pile qui permettait de l'utiliser quand il faisait trop sombre dans la pièce. Il vivait dans le désordre, mais exigeait que certaines choses fussent très bien rangées ; ses documents, par exemple, étaient proprement et soigneusement empilés. De derrière la porte close de sa chambre, pendant quelquefois plus d'une heure, on entendait un bruit sourd et régulier. La première fois que Margulis l'entendit, il demanda ce que c'était que ça.

— C'est le patron qui empile ses papiers, lui fut-il répondu.

Plus tard, Margulis devait souvent le voir faire :

— Il prenait une épaisse liasse de papiers, frappait l'un des bords de la liasse contre la table pour aligner les feuilles, puis l'autre bord, puis le troisième, puis le quatrième ; la même chose avec la liasse suivante, et ainsi de suite.

Quand il était fatigué d'aligner ainsi ses papiers, il prenait son bloc-notes de papier jaune réglé. Il écrivait un message à Maheu, sur la nécessité de bannir les explosions de la Commission de l'énergie atomique du territoire américain, ou sur le choix du prochain président, ou pour se plaindre que Nixon eût nommé un nouveau jugé à la Cour suprême sans l'avoir consulté, ou que le ministère de la Justice se mêlât de ses achats de casinos.

Bob Maheu avait la clef de la porte de l'ascenseur au neuvième étage. Les employés du Desert Inn s'habituèrent à le voir traverser le hall à grands pas, toujours avec un sourire et un « Salut ! » amical pour eux, et entrer dans l'ascenseur qui l'emmenait directement au neuvième étage interdit. Ils s'imaginaient qu'il montait voir Howard Hughes et discuter avec lui la solution des problèmes du jour et la stratégie du lendemain. Du Desert Inn, le bruit courut dans Las Vegas qu'il voyait régulièrement le milliardaire.

Pendant leurs quatre années ensemble à Las Vegas, Robert-Aimé Maheu et Howard Robard Hughes formèrent un curieux couple célibataire. Hughes avait rompu avec son ancien premier ministre, Noah Dietrich, parce qu'après trente-deux ans d'obéissance il avait refusé de se plier à sa volonté. Quand Maheu avait refusé de céder à son caprice lors de l'achat du Desert Inn et avait dit qu'il préférait s'en aller, Hughes avait crié : « Ne partez pas ! » et l'avait nommé à la position convoitée qu'il occupait maintenant.

Mais quand il avait mis fin à sa longue amitié avec Dietrich, Hughes avait encore sa liberté de mouvements :

il pouvait voyager à son gré dans ses avions, jouer à cache-cache avec ses ennemis, donner rendez-vous à ses protégées. Maintenant ce n'était plus qu'un vieil homme, nu, décharné, enchaîné par ses phobies dans une seule pièce sombre, délaissé par ses femme et n'ayant plus de contact humain qu'avec ses assistants.

Maheu n'était pas Dietrich : Dietrich était un extraordinaire financier, un bon administrateur, ce qui se fait de mieux comme « homme de l'organisation », mais c'était un petit homme méthodique, sans vitalité ni passion.

Maheu n'avait pas les dons de Dietrich. En tant qu'homme d'affaires, son propre conseiller financier le considérait comme « un désastre ambulant » (définition que Maheu lui-même aimait à citer).

— J'ai remarqué que la plupart des gens passent quatre-vingt-dix pour cent de leur temps à gribouiller des notes et ternir des registres pour justifier leur existence, dit-il une fois. Je préfère utiliser ce temps à faire des choses. Je n'ai jamais eu d'agenda de ma vie et n'ai même pas de montre.

C'était l'homme-qu'on-appelle-pour-résoudre-un-problème, un homme capable de déplacer une montagne (ou de percer un tunnel au travers si elle ne voulait pas bouger), un fonceur qui voyait grand sans s'occuper des détails. En plus, un homme qui aimait la vie. Il avait connu des Présidents, des chefs de dockers des ports de la Méditerranée et des hommes de l'ombre comme Johnny Rosselli. Il faisait des erreurs, les écartait de son chemin et faisait ce qu'il avait à faire plutôt que d'écrire un mémorandum comme quoi ça n'était pas de sa faute. Il savait ce qu'il voulait et tout le feu de la vie était en lui.

Hughes considérait tout simplement Maheu comme son alter ego. Maheu était la « cabine téléphonique magique » dans laquelle Hughes entrait en boitant pour en ressortir avec tous les attributs du Grand Hughes disparu depuis longtemps. Il affrontait le monde extérieur dans la peau de Maheu, traitait avec des Présidents, des gouverneurs, des banquiers, des tueurs de la Mafia, se déplaçait où il le voulait en avion, organisait des soirées de dix, quinze ou deux cents personnes sans penser un moment aux microbes qu'elles transportaient. Il pouvait entrer au Regency à New York en plein jour, sans s'inquiéter le moins du monde de savoir *qui* le voyait, et il laissait un *inconnu* porter ses bagages dans un ascenseur qui contenait d'autres *inconnus*.

En se mettant parfois en colère contre Hughes, en se disputant avec lui, Maheu jouait superbement le rôle que celui-ci avait imaginé pour lui. Pour bien remplir ce rôle, il fallait que le Maheu-Hughes ait ses idées et n'ait pas peur de les dire. Hughes n'avait qu'à appuyer sur un bouton pour obtenir n'importe quoi des hommes qui vivaient avec lui dans son antre. Là où ceux-ci s'aplatissaient pour une virgule, le Maheu-Hughes se permettait de dire au Hughes-Hughes qu'il en avait marre de ses pinaillages à propos de quinze mille malheureux dollars.

De plus, Maheu, comme Hughes, n'avait pas de montre : « Nous sommes les maîtres de notre temps. »

L'identification de Hughes avec Maheu transparaît comme un leitmotiv dans tous les petits mots envoyés par le premier au second. Hughes en écrivit plus de cinq cents sur des feuilles de blocs-notes jaunes. L'auteur de ce livre a obtenu les doubles de plus d'une centaine d'entre eux, et en a lu plus de soixante autres. Un certain nombre d'entre eux sortirent de leur cachette dans les convulsions de la rupture entre Hughes et Maheu : la Machinerie du Secret ne fonctionnait plus. Quelques-uns ont déjà été publiés, d'autres sont inédits.

De sa chaise longue recouverte de serviettes en papier, le milliardaire envoyait à Maheu-Hughes de véritables scénarios qu'il aurait à jouer à sa place sur l'excitante mais redoutable scène du monde.

Un jour, il envoya Maheu négocier avec William Harrah l'achat du casino de celui-ci à Lake Tahoe. Il composa pour Maheu un scénario complet, l'assimilant au « je », et parlant de lui-même à la troisième personne. Il écrivit à Maheu « d'essayer quelque chose dans ce goût-là » :

« Bill, il faut que j'aille à Los Angeles subir un important examen médical ; je l'avais reporté à une date ultérieure pour être libre de venir à Reno vous rencontrer. Mais si vous n'êtes pas prêt, je modifierai mes plans et continuerai sur Los Angeles.

« Non, vraiment, Bill, ça ne m'ennuie pas d'attendre une semaine de plus, et je suis sûr que monsieur Hughes sera d'accord. Ce qui le gêne, comme beaucoup de gens, c'est de ne pas savoir à quoi s'en tenir. Il a beaucoup d'autres projets qui dépendent de celui-là. C'est pourquoi, comprenez-vous, ce qui l'ennuie ce n'est pas le délai, c'est l'incertitude.

« Vous avez dit, cet après-midi, Bill, que vous vouliez présenter cette proposition à un prix qui serait immédiatement accepté par Howard. Je pense que c'est une bonne idée, et que vous savez à peu près ce qu'il considérerait comme raisonnable. Puis-je dire, avant de partir, que s'il veut encore patienter une semaine et cesser de se ronger les sangs à propos de cette affaire, je suis sûr qu'à mon retour de Los Angeles, dans une semaine, je vous appellerai et que vous m'inviterez à Reno ?

« Ce qui importe c'est que je puisse dire à Howard, ce soir avant de partir, qu'il peut cesser de s'inquiéter à propos de cette affaire, qu'il peut compter dessus et que vous et moi allons arriver à un accord. »

Quand Maheu ne revenait pas aussi vite que possible avec son rapport sur un projet, l'anxiété gagnait Hughes :

— Donnez-moi de vos nouvelles, Bob, je veux être sûr que vous êtes d'accord avec moi.

Cela l'ennuyait quand Maheu n'était pas d'accord avec lui :

— Vous avez suggéré que toutes mes appréhensions, mes inquiétudes et mes impressions de calme-avant-la-tempête étaient sans aucun fondement... Vous vous irritez souvent de mes questions, qui trahissent, selon vous, une foi et une confiance incertaines. Eh bien ! Bob, je ne sais pas si je peux encore faire quelque chose de mon côté, mais je suis convaincu que nous devrions tous les deux faire un suprême effort. Travaillez-y de votre côté, j'y travaillerai du mien, et peut-être qu'à nous deux, nous emporterons le morceau.

Ces « appréhensions et ces inquiétudes » se rapportaient à l'éventualité qu'Arnold Palmer et Jack Nicklaus ne participent pas à un tournoi de golf doté par Hughes.

Il essayait de convaincre Maheu-Hughes que Hughes-Hughes était vraiment un type sympathique.

— Merci du fond du coeur. Vous savez, Bob, vous m'avez souvent dit que Harrah est l'homme le moins démonstratif que vous ayez jamais rencontré. D'accord, je ne suis peut-être pas démonstratif non plus, mais cela ne veut pas dire que je ne suis pas reconnaissant.

Il était parfois agité :

— Ce soir je vous ai fait dire que j'espérais que j'aurais la possibilité de vous joindre tout au long de la soirée. On m'a assuré que c'était d'accord ; alors si, dans ces conditions, vous ne m'appelez pas de la soirée, évidemment, je suis inquiet.

Il avait un grand besoin de compréhension :

— La première chose que je voudrais que vous fassiez demain matin, c'est relire mon dernier message, en oubliant toutes les exagérations délirantes que vous aviez cru y voir. Prenez simplement au pied de la lettre ce que je vous disais de faire ou de ne pas faire dans le message. Si vous trouvez qu'une seule de mes requêtes est déraisonnable, alors, oui, faites-le-moi savoir.

Quand Maheu lui demanda d'envoyer un petit mot à Jack Hooper, l'un de ses employés qui, alors qu'il était à l'hôpital, avait réussi un coup pour Hughes, ce dernier tenta de faire comprendre son propre problème à son alter ego.

— Je vous assure qu'on se sent tout aussi enfermé dans ma chambre que dans celles du Sunset Hospital.

Parfois il laissait éclater son ressentiment :

— Comme d'habitude, vous ne considérez ce que je vous propose que comme des caprices d'enfant. Vos remarques sarcastiques, à chaque fois que j'essaye de suggérer quelque chose, me blessent... Un jour, quand vous aurez le temps, videz donc votre sac et si vous trouvez vraiment votre associé idiot, dites-le-lui.

Il plaidait sa cause auprès de Maheu, se soumettait à sa volonté, le flattait, et exultait lorsque Maheu lui rendait la pareille.

— Il fut un temps où nous communiquions, où je n'avais pas à craindre que le moindre mot écrit ou prononcé par moi vous mette en colère contre moi et que j'en aie, moi, l'estomac serré. S'il vous plaît, Bob, retrouvons l'atmosphère d'amitié qui existait entre nous.

C'est tout ce que je souhaite. Et si nos divergences sont dues à quelque chose que j'ai dit ou oublié de dire, ou à toute autre erreur que j'ai pu commettre, je m'en excuse bien sincèrement...

...Je suis enchanté de ce que vous avez trouvé pour le ministère de la Justice... Je me soumets à votre jugement... Je continue à m'en remettre entièrement à vous. Je ne dirais pas cela si je n'avais pas en vous une confiance illimitée...

...Je voudrais bien savoir quel candidat nous allons soutenir aux élections présidentielles et jusqu'à quel point nous allons le soutenir.

Quand les choses allaient bien, il s'en réjouissait :

— Soyez le bienvenu ! Peut-être ne le savez-vous pas mais j'ai eu dernièrement l'impression que vous étiez éloigné de moi. Il me semblait que nous n'avions fait que nous quereller et nous chamailler. Mais que vous ayez traité cette histoire de bombe comme vous l'avez fait — alors que vous n'étiez pas favorable à mon désir — cela m'a fait très plaisir. Je vous envoie mes sincères remerciements. Je suis entièrement d'accord avec votre plan.

Il cherchait toujours à garder son double près de lui. Une fois, après une longue période pendant laquelle il avait dû travailler de douze à seize heures par jour, Maheu emmena sa famille en week-end à l'île de Catalina sur son bateau.

— Nous avons jeté l'ancre, dit-il, et j'ai communiqué notre position à Hughes, comme d'habitude. J'ai passé la presque totalité des deux jours dans une cabine téléphonique de l'île, en conversation avec lui !

Hughes avertit Maheu à maintes reprises de ne pas laisser son ancienne équipe « élever des barrières entre eux». Quand les coûts de construction de sa villa dépassèrent de beaucoup les devis, Maheu avertit Hughes de payer lui-même et de prendre la villa à son nom. Hughes avait déjà entre les mains un rapport confidentiel émanant d'un éplucheur de comptes de la Hughes Tool Co. qui lui apprenait le dépassement; il repoussa généreusement l'offre de son subordonné. Mais lorsque Maheu emménagea, Hughes lui envoya un mot boudeur pour se plaindre qu'il n'en avait rien su.

Après les années désespérantes pendant lesquelles il avait tenté en vain de reprendre possession de la T.W.A., le projet d'ajouter le Nevada à son empire redonna du tonus à Hughes. La plupart des notes qu'il envoya dès lors à Maheu étaient lucides; toutefois elles suggéraient de plus en plus souvent des projets sans cesse plus grandioses et plus irréalisables.

— J'étais de plus en plus souvent obligé de le protéger contre lui-même, devait dire Maheu.

Hughes s'embarqua dans une tentative soutenue de plier le gouvernement fédéral à sa volonté. Les essais nucléaires de la Commission de l'énergie atomique au Nevada le rendaient fou de colère et de peur. Il les considérait comme une double menace: ils allaient détourner les touristes de ses casinos et réduire ses bénéfices à néant; ils allaient polluer l'air qu'il respirait, infiltrer de la radioactivité dans les couches terrestres et empoisonner le sol et l'eau de Las Vegas.

Des dangers aussi extrêmes réclamaient des mesures extrêmes: il ordonna deux fois à Maheu d'aller trouver le président des États-Unis — d'abord Lyndon Johnson, puis son successeur, Richard Nixon — pour leur offrir un million de dollars s'ils faisaient faire les expériences ailleurs qu'au Nevada.

— J'y suis allé les deux fois, car je savais que si je ne le faisais pas, Hughes enverrait quelqu'un d'autre, dit Maheu.

Il partit pour le ranch du président Johnson, qui était sur le point de se retirer. Au lieu d'essayer de modifier la politique nucléaire nationale avec un pot-de-vin d'un million de dollars, Maheu parla de « l'admiration » que son patron éprouvait pour Johnson et lui demanda si le milliardaire pouvait faire quelque chose pour lui. Johnson répondit qu'il était en train de construire sa « Bibliothèque Johnson » et que le comité acceptait des dons jusqu'à concurrence de vingt-cinq mille dollars. Quand il lui fit son rapport, Maheu dit que Hughes refusa la proposition en disant :

— Bon Dieu ! Je ne peux pas tenir ce salaud-là avec vingt-cinq mille dollars !

En ce qui concerne Nixon, Maheu prit l'avion pour Key Biscayne, y passa une semaine à ne rien faire, et dit à Hughes en rentrant qu'il n'avait « pas pu établir le contact ».

Mais quand Hughes concentrait sa rage de pouvoir sur des cibles moins importantes, il lui arrivait fréquemment de trouver des politiciens ou des fonctionnaires aussi dociles que ses assistants. Sous Lyndon Johnson, le ministère de la Justice avait prévenu l'organisation Hughes que si celui-ci cherchait à ajouter d'autres casinos aux cinq qu'il avait déjà achetés, la Division anti-trust du ministère interviendrait. Le ministre de la Justice de Nixon, John Mitchell, démentit son propre chef de division — sans le consulter — et donna le feu vert à Hughes pour acheter un sixième casino ; Hughes finit même par en avoir sept. Cette volte-face fédérale coïncida avec le versement secret, par un assistant de Hughes, de cinquante mille dollars à Bebe Rebozo, ami intime de

Nixon. Rebozo reçut deux paquets identiques de cinquante mille dollars en billets de cent dollars des mains de Richard Danner, ancien agent du F.B.I. devenu gérant d'un casino de Hughes. Rebozo devait déclarer plus tard qu'il avait considéré ces cent mille dollars comme une contribution à la campagne électorale. Mais, prétend-il, au lieu d'utiliser cet argent dans une campagne électorale, il l'avait mis dans son coffre-fort. Il le rendit à Hughes trois ans plus tard quand un essaim d'inspecteurs des impôts et d'enquêteurs du Sénat commencèrent à poser des questions sur ces transferts d'argent.

Rebozo déclara qu'il avait accepté le versement secret sans en parler à Richard Nixon. Il dit ne lui en avoir parlé qu'en 1973, peu avant de restituer l'argent. Nixon accrédita cette version des faits et loua « l'honnêteté » de Rebozo.

Mais Rebozo, lorsqu'il accepta les cent mille dollars, savait pertinemment que deux fois déjà la réputation politique de Nixon avait souffert d'une opération financière secrète avec Hughes. En 1956, alors que Nixon était vice-président, Hughes avait « prêté » deux cent cinq mille dollars à son frère Donald, dans une vaine tentative de renflouer son affaire de restaurants. Cet « emprunt » lui fut reproché en 1960, pendant la bataille Kennedy-Nixon pour la présidence, et à nouveau deux ans plus tard quand Nixon se présenta contre Edmund « Pat » Brown pour l'élection du gouverneur de la Californie. Nixon fut défait les deux fois.

L'avocat de Rebozo devait dire plus tard que Rebozo pensait que les deux cent cinq mille dollars prêtés à Donald Nixon avaient « sensiblement affecté » l'issue des deux élections. Il aurait fallu à Rebozo, pour accepter encore de l'argent de Hughes sans en informer Nixon, une insensibilité politique ou un désir d'offenser Nixon qui ne lui étaient pas habituels.

Pour que Nixon ne sache rien des cent mille dollars de Hughes jusqu'au printemps 1973, il aurait fallu une conspiration du silence à laquelle auraient participé non seulement Rebozo mais l'équipe de la Maison Blanche qui scrutait diligemment les journaux pour Nixon : en effet, Jack Anderson avait parlé du don de cent mille dollars dès août 1971. L'article avait paru dans des douzaines de journaux dans tout le pays, et avait même fait toute la largeur de la une du *Review Journal* de Las Vegas, au-dessus du titre.

Il n'existe aucune preuve que Hughes et Nixon se soient jamais rencontrés, ce qui rend d'autant plus fascinantes leurs relations financières longues et compliquées. Les deux hommes avaient des ressemblances frappantes : même goût du secret, même incorrigible duplicité, même féroce appétit du pouvoir. Nixon pensait qu'être riche, c'est être respectable, et il admirait et enviait les gens très riches. Aussi éprouva-t-il une attirance irrésistible et fatale pour Hughes, qui était plus riche que n'importe quel autre Américain. Hughes était plus cynique et plus pragmatique : il recherchait les puissants, et proposait honnêtement son argent en échange de ce qu'ils possédaient, et que lui désirait.

Nixon choisit de considérer le scandale soulevé à propos du prêt de deux cent cinq mille dollars de Hughes à son frère comme une tentative pour le salir et pour lui faire supporter le discrédit des difficultés financières de son frère. C'était pourtant lui qui avait sollicité le prêt, et qui, selon Noah Dietrich lui eut fait remarquer que, politiquement, c'était de la dynamite !

Il était parfaitement conscient des ennuis que pouvaient causer des tractations financières secrètes avec Hughes. Quand un employé subalterne de Hughes, John

Meir, et Donald Nixon devinrent amis, pendant le premier mandat de Nixon, la Maison Blanche exigea de l'organisation Hughes qu'elle éloigne Meier. Nixon fit surveiller son frère par des agents des services secrets et brancher son téléphone sur une table d'écoute. Donald Nixon n'en cessa pas pour autant ses relations avec Meier, et des hommes des services secrets les photographièrent ensemble dans le Orange County. Rebozo, furieux, en informa Maheu par téléphone.

Maheu envoya un de ses adjoints à l'aéroport de Las Vegas qui surprit Meier à sa descente du vol du Orange County, à un moment où il aurait dû être à Tonopah au Nevada. Maheu fit remarquer à Meier qu'il avait enfreint ses instructions et lui donna le choix entre la démission et le renvoi. Meier démissionna.

Meier ne se contenta pas de tromper Donald Nixon ; chargé d'acheter une série de concessions minières pour Hughes, il fut accusé devant un tribunal fédéral par la Hughes Tool Co. d'une fraude de neuf millions de dollars. Le départ de Meier de l'organisation Hughes n'empêcha pas Donald Nixon de poursuivre ses relations avec lui. Ils furent plus tard associés dans un projet de concessions minières en République Dominicaine, qui n'aboutit pas.

En dépit des ennuis causés à Nixon par les relations avec Hughes, non seulement Rebozo conserva les cent mille dollars pendant la campagne électorale de 1972, mais les agents de Nixon cherchèrent à obtenir cent mille dollars supplémentaires durant la dernière semaine de la campagne, et les obtinrent.

— Ils m'ont dit, raconte Robert Benneth, successeur de Maheu au poste de distributeurs de fonds politiques, qu'ils avaient beaucoup de frais de dernière minute à régler. On apprit plus tard que la campagne de Nixon avait un surplus de cinq millions de dollars. Ça ne m'a pas fait plaisir.

Ni Nixon ni Rebozo n'ont jamais expliqué pourquoi les agents électoraux avaient demandé cent mille dollars de plus à Hughes, alors que les premiers cent mille dollars dormaient dans le coffre de Rebozo. Hughes n'expliqua rien non plus. Un des avantages de l'invisibilité est qu'elle évite de répondre aux questions.

Durant presque tout le séjour de Hughes au Nevada, le gouverneur de l'État fut Paul Laxalt, qui devait plus tard devenir sénateur. Maheu devint bientôt son partenaire de tennis favori et Hughes ne fut pas long à faire transmettre une foule de suggestions et de requêtes à l'homme que les habitants du Nevada avaient choisi pour gouverneur. L'administration Laxalt se montra très influençable. La Commission de contrôle des jeux « oublia » nombre de ses règlements pour ne pas empiéter sur « l'intimité » de Hughes. On ne l'obligea ni à fournir une photographie récente, ni à apparaître en personne devant la Commission des jeux pour qui on prît ses empreintes digitales, ni à produire un bilan financier. Une fois, alors qu'il lui fallait immédiatement une licence pour un casino qu'il venait d'acheter, les membres de la Commission de contrôle, éparpillés aux quatre coins de l'État, donnèrent leur « feu vert » quelques heures plus tard : leur « réunion » avait eu lieu au téléphone.

Au lieu d'apaiser sa soif de pouvoir, ces concessions la rendaient inextinguible.

Dans une déposition sous serment faite après le départ de Hughes du Nevada, son avocat personnel, Thomas Bell, donna une liste assez surprenante des « missions » que Hughes lui avait confiées. Il dit que ce dernier lui avait ordonné d'étouffer dans l'oeuf un projet d'intégration raciale à Las Vegas (« Les nègres, écrivait-il dans un mémorandum, ont fait suffisamment de progrès pour tout le siècle à venir »), de bloquer l'adoption de projets de lois établissant dans l'État des impôts sur le revenu et sur les successions, d'examiner toutes les propositions de loi et de persuader les législateurs de voter sur elles selon les préférences de Hughes. Il était contre la répression de la pornographie mais voulait qu'on interdise les concerts de rock dans la région de Las Vegas, et ne voulait pas que l'alignement des rues soit modifié sans son accord. Entre autres innombrables concessions, il demandait qu'un de ses médecins personnels obtienne l'autorisation d'exercer au Nevada sans subir l'examen d'État.

En politique, aussi bien sur le plan des luttes partisanes que sur le plan idéologique, Hughes était parfaitement opportuniste. Il avait toujours été férocement anticommuniste et voulait interdire toute représentation « d'artistes du bloc communiste » à Las Vegas. Cependant il menaçait de se joindre aux groupes de gauche qui s'élevaient contre la bombe atomique et de dépenser toute sa fortune à obtenir l'interdiction des expériences nucléaires américaines, pourtant de nature défensive, si la Commission à l'énergie atomique continuait à troubler sa tranquillité d'esprit.

En 1968, lors de la campagne pour l'élection présidentielle, il demanda à Maheu d'aller discrètement offrir un soutien entier aux *deux* candidats. Son mémorandum concernant le démocrate Hubert Humphrey disait : « Pourquoi ne pas lui faire savoir, si on peut le faire vraiment, mais là vraiment secrètement, qu'il peut compter sur notre *appui illimité* dans sa campagne s'il prend ce petit engagement ? » (ce « petit engagement » consistait à tenter d'arrêter les essais nucléaires.)

En ce qui concernait le républicain Richard Nixon, il écrivait à Maheu : « Je veux que vous soyez mon envoyé spécial secret auprès de Nixon. Je sens qu'il y a vraiment une possibilité de victoire républicaine cette année. Si cela pouvait se passer entièrement sous notre supervision et notre patronage, nous aurions à coup sûr la possibilité de faire passer Laxalt la prochaine fois. »

Son choix du Strip surpeuplé de Las Vegas comme cachette semblait une décision de schizoïde. Le Desert Inn pouvait difficilement passer pour un ermitage. Las Vegas attire chaque année des millions de touristes et, parce que Hughes s'y cachait, le Desert Inn devint une attraction plus fréquentée que le Hoover Dam. La façon qu'avait Hughes de hurler, métaphoriquement : « Allez-vous-en », attirait les foules qui voulaient savoir pourquoi il hurlait. Du bord de la piscine du Desert Inn, des patios, des balcons, des hôtels voisins, des centaines de paires de jumelles essayaient de percer le secret des rideaux qui masquaient les fenêtres du dernier étage. Si les tables de jeu n'offraient plus d'attrait, on pouvait toujours jouer à essayer d'apercevoir Hughes. « Voir » Hughes était devenu la chose à faire à Las Vegas, comme de gagner quinze fois de suite à une table de passe anglaise. Tant de gens prétendirent avoir vu Hughes que finalement cette distinction perdit de son prestige. Il fallut lui avoir « parlé » pour décrocher la timbale, ou bien l'avoir pris en auto-stop et lui avoir prêté vingt-cinq « cents », comme Melvin Dummar, gérant de station-service dans l'Utah, disait l'avoir fait.

Des hommes moins riches que Hughes, même de simples millionnaires, arrivent très bien à acheter la tranquillité. Il y a des milliardaires que presque personne ne connaît aux États-Unis. Aucune foule ne piétine les pelouses de la résidence des Rockefeller à Pocantico. Pour le prix de deux ou trois mois de séjour dans sa cachette du Desert Inn, Hughes aurait pu s'acheter une île déserte, et même la faire entourer de clôtures.

Las Vegas le traitait comme un bienfaiteur, plutôt que comme un homme dont la conduite présentait des contradictions étranges. Même Hank Greenspun, éditeur-rédacteur en chef du *Las Vegas Sun*, et non-conformiste invétéré, publia un éditorial intitulé *Bienvenue à Las Vegas* à la une, dans lequel il recommandait aux journalistes de ne pas troubler la tranquillité de Hughes. Le gouverneur Laxalt se réjouissait que Hughes ait élu domicile à Las Vegas : cela donnait au jeu un vernis de respectabilité et exorcisait les derniers fantômes des beaux jours de la pègre. Le *Daily News* de New York, généralement plus avisé, émit l'hypothèse que Hughes était allé à Las Vegas pour en chasser le crime organisé.

En fait, Hughes fit progresser Las Vegas, si l'on mesure le progrès avec une caisse enregistreuse. Les prix du terrain en bordure du Strip doublèrent, triplèrent, quadruplèrent. Quand une loi modifia les règlements qui interdisaient à une même société de posséder plusieurs casinos pour permettre à la Hughes Tool Co. de légaliser ses multiples achats, d'autres sociétés se lancèrent dans l'exploitation des salles de jeu. Cependant, ce « boom » ne plaisait pas à Hughes, bien qu'on le lui attribuât. Il écrivit d'innombrables mémorandums pour bloquer, décourager ou saboter ses nouveaux rivaux, sans même tenter de concilier ces initiatives et ses proclamations de foi en la libre entreprise.

Rien de tout cela ne fut connu sur le moment : Maheu atténuait les manifestations les plus outrées de la soif de pouvoir de son patron et la Garde du Palais le dérobait aux regards. Las Vegas saluait en lui une sorte de vivant Daddy Warbucks aux habitudes curieuses. De temps en temps cependant, Maheu sentait que quelque chose ne tournait pas rond chez Hughes :

— Il commençait à se répéter au téléphone, redisait la même chose sans arrêt, sans se rendre compte, évidemment, qu'il ressemblait à un disque rayé... Puis il pouvait y avoir des périodes de silence total où il n'appelait plus et ne répondait pas non plus aux messages écrits.

Un mémorandum témoigne que Hughes lui-même s'apercevait parfois que son cerveau ne fonctionnait pas correctement :

« Bob, il n'y a vraiment que trois problèmes qui puissent gêner sérieusement la mise en marche de mes projets au Nevada, mines, nouveaux hôtels, circuit automobile, et même quelques autres... Ce sont : premièrement, le nouveau casino flottant ; deuxièmement, la législation sur les circuits automobiles qui requiert notre attention immédiate...

... Bob, je sais que cela peut sembler curieux, mais je n'arrive pas à me souvenir du troisième problème... Il est aussi important que les deux autres, c'est d'autant plus surprenant que je ne m'en souvienne pas. Quoi qu'il en soit, je me le rappellerai bientôt et vous en informerai dès que mon cerveau se remettra à fonctionner. »

Maheu ne sut jamais quel était le troisième problème qui tourmentait Hughes.

Mais il y en avait beaucoup plus de trois et, là-haut dans la suite, derrière les deux portes fermées à clef, le petit groupe des assistants essayait tous les jours de les résoudre.

5

UN PEU DE CRÈME GLACÉE POUR MONSIEUR HUGHES

Hughes avait une nouvelle manie. Assis dans la salle de bains ou sur sa chaise longue, il se baignait les mains et les avant-bras dans l'alcool pendant des heures. Comme la « tache maudite » de Lady Macbeth, ce qu'il essayait de nettoyer ne s'en allait pas. Il se lavait, se relavait, l'alcool dégoulinait et transformait son « isolant » de papier en pâte détrempée. Quand il arrêtait, on enlevait le papier, on le passait dans le déchiqueteur de documents et on étendait par terre une couche de papier sec.

Mell Stewart était chargé de l'approvisionnement en alcool.

— Il utilisait le même alcool que celui dans lequel il exigeait que je trempe les peignes lorsque je lui coupais les cheveux. Mais il fallait prendre des précautions, suivre des voies détournées : on ne pouvait pas faire livrer cinq ou vingt litres d'alcool au Desert Inn.

Hughes ordonna à Stewart d'acheter de petites bouteilles d'alcool, quelques bouteilles à la fois, dans les pharmacies de Las Vegas.

— On m'avait dit de l'acheter en secret, sans jamais donner mon nom ni dire que j'étais un employé de l'organisation. Si le vendeur était surpris par la quantité ou la fréquence des achats, je devais rayer ce magasin de ma liste et ne jamais y retourner. J'ai acheté de l'alcool dans tout Las Vegas, à Las Vegas Nord et même à Henderson et à Boulder. J'en achetais six ou huit bouteilles à la fois. Je me demande ce que les employés pouvaient bien penser : les hôpitaux et les maisons de convalescence l'achètent en gros... Ils pensaient peut-être que j'étais une sorte de savant fou...

Stewart était logé au Desert Inn aux frais de l'organisation. Il était théoriquement le coiffeur attitré, mais Hughes se laissait de nouveau pousser la barbe et les cheveux.

Au fil des années, il y eut bien quelques problèmes avec le personnel « disponible » qui devait pouvoir être appelé mais ne l'était jamais. L'un des médecins n'avait rien d'autre à faire que rester assis près d'un téléphone qui ne sonnait jamais : il devint alcoolique. Puis, par deux fois, Hughes eut besoin d'une transfusion sanguine ; les mains du médecin tremblaient tellement qu'il fut incapable de réussir cette simple opération. Le seul médecin disponible était celui qui avait étudié la psychiatrie, et Hughes lui avait interdit de s'approcher de lui.

Deux fois, il fallut appeler un médecin de l'extérieur. Pour limiter des fuites éventuelles, on fit deux fois appel au même, le Dr Harold Freikes.

Stewart était un homme actif, incapable de rester trois ou quatre ans assis dans une pièce à attendre que Hughes accepte de se faire couper les cheveux. Aussi lui trouvait-on des choses à faire. Il devint donc la « filière » de l'alcool pharmaceutique, c'est lui qui découpait les articles dans les journaux de Las Vegas et dans le *Wall Street Journal*, qui allait chercher le courrier et qui disposait des ordures « à brûler ».

Le courrier échangé entre Hughes et la Summa ne passait pas par l'hôtel où « l'ennemi » aurait pu infiltrer un agent pour l'intercepter : une boîte postale spéciale était réservée à l'usage de Hughes au bureau de poste de l'aéroport Mc Carran, et Stewart allait la relever tous les jours.

Il y avait un déchiqueteur de documents dans le Bureau, du type de ceux qu'on utilise au Pentagone, au ministère de l'Intérieur, dans les bureaux de Richard Nixon et autres endroits où il y a des secrets à garder. Tous les papiers jetés et les serviettes de papier imbibées d'alcool passaient au déchiqueteur d'où ils étaient enfouis dans des sacs en plastique.

Derrière le Desert Inn se trouvait un incinérateur à gaz qu'on utilisait pour les ordures. Tous les jours, quand on l'allumait, Stewart descendait les sacs de papier soigneusement déchiqueté et les jetait dans l'incinérateur. Il devait rester auprès de l'appareil et s'assurer personnellement que tout avait bien été réduit en cendres.

Nourrir Hughes était toujours délicat, avec des crises cycliques. Quand il sortit de sa longue période soupe-de-poulet-en-boîte, il voulut essayer le potage de légumes de l'hôtel.

— C'est juste un essai que je fais, dit Hughes. Parce que... je veux qu'il soit préparé comme je l'aime... et qu'il soit réussi.

Hughes demanda qu'on prépare son potage à part, dans une marmite en acier inoxydable, avec de l'eau minérale Poland. Il goûta la soupe trois fois, classa les trois essais : soupière n° 1, n° 2, n° 3, et finit par en choisir une qu'il jugea « convenable ».

— Le chef m'a avoué plus tard, note Margulis, qu'il avait utilisé chaque fois la même recette.

Un jour qu'il regardait la télévision, Hughes vit une publicité pour des repas-T.V. surgelés et décida de les essayer. Comme il aima la dinde surgelée Swanson, il abandonna son régime de soupes. Pendant des semaines, il se nourrit de ces plats précuits auxquels les ménagères ont recours en cas d'urgence.

Il aimait bien les repas-T.V. Swanson à la dinde, mais leur adressa toutefois deux critiques : le mélange de viande blanche et de viande sombre — Hughes n'aimait que la blanche — et puis le dessert des repas à la dinde était une tarte aux pommes, celui des autres repas une tarte aux pêches ; Hughes voulait de la tarte aux pêches avec la dinde. Il demanda à ses assistants d'appeler la maison Swanson pour l'informer de sa préférence.

— Faites-leur mettre la tarte aux pêches avec la dinde et supprimer la viande sombre, dit le milliardaire.

L'ordre fut solennellement transmis à Gordon Margulis.

— Vous vous moquez de moi ! dit Margulis, à l'époque nouveau venu dans l'univers Hughes.

— Non, non, lui répondit-on, ce sont bien les ordres de monsieur Hughes.

— On ne peut pas demander à une compagnie qui prépare des millions de repas surgelés d'exécuter chaque semaine quelques commandes particulières pour *un seul client* !

— Appelez Swanson.

— Heureusement, Hughes découvrit les sandwiches Arbie[1], et la corvée fut évitée. Hughes, qui regardait beaucoup la télévision à Las Vegas, avait entendu parler de ces sandwiches dans une annonce publicitaire.

Il décida de les essayer, à certaines conditions : il voulait que la succursale locale d'Arbie fasse l'acquisition d'une lame spéciale, en acier inoxydable, qu'on utiliserait exclusivement à couper les tranches de boeuf destinées à ses sandwiches.

— Il allait essayer deux « Arbies », et s'il les trouvait bons, il les adopterait.

— Je suis descendu et j'ai fait plusieurs fois le tour de la piscine de l'hôtel en me demandant comment j'allais m'y prendre, raconte Margulis. Je n'osais pas tricher, et aller prendre deux Arbies ordinaires, parce que Le Vieux vérifiait toujours si on exécutait ses ordres. Si par malheur on ne les avait pas suivis à la lettre, il fallait s'attendre à de sévères représailles.

Margulis revint au Bureau ; il voulait gagner du temps. Il prétendit que les gens d'Arbie ne savaient pas où se procurer la lame spéciale pour la machine à couper le boeuf. À ce moment, inexplicablement, Hughes abandonna son régime « sur le pouce », et passa au tournedos mais pas n'importe quels tournedos.

— Il les voulait très petits et très fins — la moitié d'une tranche normale, la moitié de l'épaisseur habituelle et... ronde ! Il les voulait bien cuits et les mangeait avec des petits pois, des carottes nouvelles et des pommes de terre bouillies coupées en dés... et cela tous les jours que Dieu fait.

Il ne voulait pas qu'on les prépare à l'étage, où il y avait une cuisinette, parce que la cuisson polluerait l'air. Il exigeait des pois nouveaux et tout petits.

---

[1] Phonétiquement : RB = Roast beef.

L'aversion de Hughes pour les gros pois était un de ses caprices mineurs, mais elle dura longtemps ; il avait détesté les gros pois toute sa vie. Noah Dietrich se souvient d'avoir dîné avec Hughes et sa première femme, Ella Rice, à Los Angeles, dans les années 30. Il raconte que Hughes avait une sorte de petit râteau en argent qu'il passait dans son assiette. Il ne mangeait que les pois qui passaient entre les dents du râteau.

— Un jour, dit Margulis, Hughes apprit qu'un certain Pancho était le maître d'hôtel du Desert Inn. Il se rappela que ce même Pancho avait travaillé plusieurs années auparavant à Beverley Hills.

— Dites-lui que j'aimerais qu'il refasse cette sauce à la moutarde qu'il préparait spécialement pour moi, ordonna Hughes.

— Il avait une mémoire incroyable pour certaines choses, dit Margulis. Pancho aussi, fort heureusement. Il se rappelait la recette de sa sauce et la refit. Elle était à base de moutarde en poudre Coleman, de sauce Lea-and-Perrin, de bouillon concentré et d'un peu de beurre. Hughes l'aimait avec son tournedos, servie très chaude dans une saucière.

Margulis était heureux de voir Hughes manger. Quand il se sentait abattu, il ne mangeait rien. Même quand il mangeait régulièrement, il pesait 62/63 kilos, trop peu pour sa taille. Lorsqu'il sautait des repas, son poids s'en ressentait aussitôt.

Pendant des mois, il voulait qu'on lui serve la même chose tous les jours. Ce fut l'origine de la tragi-comédie des glaces Baskin-Robbins.

Il essaya quelques-uns des trente et un parfums fabriqués par cette compagnie, décida que le banane-noisette était son préféré et, pendant des mois, mangea deux glaces banane-noisette à chaque repas. L'équipe l'achetait par bacs entiers et en avait toujours sous la main.

Un jour, comme la réserve diminuait, Mell Stewart alla en chercher à la succursale locale de Baskin-Robbins. Cette firme adopte périodiquement de nouveaux parfums, en abandonne d'autres ; elle venait d'abandonner le parfum favori de Hughes. Plus de banane-noisette : panique parmi les assistants. Il ne restait plus que six ou huit portions. Que faire ?

L'un d'entre eux entrevit une solution : il dit à Stewart de téléphoner au bureau de Baskin-Robbins pour la Californie et de leur demander de faire un bac spécial de banane-noisette.

— J'ai pris le téléphone et j'ai parlé à l'un des directeurs, dit Stewart. Sans lui dire le pourquoi de la chose, je lui ai demandé si la compagnie pouvait reprendre un parfum abandonné, pour une commande spéciale.

— On ne le fait pas d'habitude, mais cela peut se faire.

— Quelle est la plus petite quantité que vous accepteriez de faire pour une commande particulière ?

— Mille deux cents litres.

La tête de Stewart lui tourna. Il ne pouvait même pas se représenter ce que faisaient mille deux cents litres de glace. Par contre, il imaginait aisément quelle serait la réaction s'il revenait en disant :

— Plus de banane-noisette !

Stewart commençait à se rendre compte de la manière dont l'organisation fonctionnait : on faisait ce que l'on avait à faire, un point c'est tout... Il respira un grand coup... et commanda la quantité proposée. « Et rapidement, s'il vous plaît. »

La glace, fabriquée à Los Angeles, fut amenée à Las Vegas en camion frigorifique par deux factotums de Romaine. Tels de modernes postillons de la Wells-Fargo, ils roulèrent toute la nuit et arrivèrent au matin.

L'intendant du Desert Inn, Dick Porcaro, était prévenu qu'une livraison de glace allait être faite pour Hughes et qu'elle devait rester secrète.

Quand le camion se présenta devant lui, en marche arrière, Porcaro eut *deux* chocs :

— Je ne pensais pas qu'il allait s'agir de mille deux cents litres de glace ! devait-il déclarer. De plus, en fait de secret, les bacs étaient recouverts de couvertures sur lesquelles était imprimé en grosses lettres : « HUGHES PRODUCTIONS ».

Porcaro appela Margulis au téléphone :

— Où diable voulez-vous que j'entrepose mille deux cents litres de glace ?

— Dans la chambre froide.

Il fallut déplacer le stock de nourriture congelée de l'hôtel, mais on réussit à caser l'énorme livraison de glace banane-noisette.

— Il nous restait encore quelques portions quand la glace fraîche arriva, dit Margulis. Maintenant nous avions de la glace pour Hughes pour le restant de ses jours.

Le lendemain, on servit la glace, le milliardaire la mangea et dit : « C'est vraiment un parfum excellent, mais il est temps d'en changer... À partir de demain, je veux de la vanille ! »

Le Desert Inn mit presque un an à se débarrasser de la réserve de glace. Mell Stewart, qui était à l'origine du problème, aida à le résoudre. Il allait trouver des gens qu'il connaissait à peine et leur demandait s'ils aimaient la glace banane-noisette de Baskin-Robbins. Si la réponse était affirmative, il leur en donnait une dizaine de litres. Il eut bientôt la réputation d'un homme qui offrait volontiers de la glace.

Tout ce qui touchait Hughes, de près ou de loin, tombait sous le coup de la loi du secret. C'était normal lorsqu'il s'agissait d'affaires portant sur des millions de dollars : le prix d'un terrain convoité aurait vertigineusement augmenté si l'on avait su qu'il s'y intéressait.

Mais il était aussi secret pour les petites choses, son alcool pharmaceutique ou son strudel aux pommes.

Il entendit dire que l'hôtel Sands, qu'il avait acheté aussi, avait une pâtisserie exceptionnelle. Il goûta bon nombre de ses produits avant d'arrêter son choix sur le strudel aux pommes.

Le Sands est sur le Strip, à quelques centaines de mètres du Desert Inn, mais ça créa tout de même un nouveau problème de sécurité. Margulis s'offrit pour aller chercher le strudel, mais Hughes s'y opposa :

— Il ne faut pas que ce soit Gordon qui aille chercher le strudel. Tout le monde sait qu'il travaille pour moi et l'on en tirerait des conclusions. Envoyez le garde.

À chaque fois que Hughes voulait un strudel, on relevait le garde et on l'envoyait au Sands. Un soir, grave dilemme : aucun garde n'était disponible. On pouvait, soit laisser Hughes sans garde — il y avait encore le dispositif spécial de l'ascenseur et les deux portes fermées à clef —, soit risquer de « brûler » sa couverture pour l'achat des strudels. Finalement, on réussit à convaincre le chef de la sécurité du Desert Inn de jouer les garçons-pâtissiers.

— Il fallait avoir vécu un bon moment dans cet univers pour y croire, dit la blonde et mince Pat Margulis, la femme de Gordon.

C'est ce que dit aussi Bob Maheu à la barre des témoins, en 1974, lors d'un procès en diffamation qu'il intentait à son ancien employeur. Les journalistes demandèrent s'il en aurait pour longtemps à déposer :

— Ça va prendre un bout de temps pour expliquer l'incroyable univers de Howard Hughes, leur répondit-il.

Certains des problèmes de Hughes étaient faciles à résoudre. Une des légendes qui couraient sur son compte à Las Vegas voulait qu'il ait acheté la station de télévision KLAS (canal 8) uniquement parce qu'il aimait regarder des films tard dans la nuit. Cette légende-là est vraie.

Hank Greenspun, alors propriétaire de la station, raconte :

— Un homme de Hughes me téléphona pour me dire que son patron désirait que je fasse passer des films toute la nuit. Je lui ai dit que c'était économiquement irréalisable. Comme il insistait, j'ai suggéré que Hughes achète la station. Ce qu'il fit. Le canal 8 passa des films toute la nuit.

Hughes passait énormément de temps à regarder des films, à la télévision, ou sur son écran personnel. Quand il eut déménagé à Nassau, il dut se contenter de son projecteur car on recevait très mal la télévision.

— Il aimait tous les films d'aviation sauf *Waldo Pepper*, avec Robert Redford, où il n'aimait pas les séquences de comédie. Il pensait que *The Blue Max*, avec George Peppard, était très bon.

Il acheta des copies de tous les films de James Bond, mais n'aima que ceux joués par Sean Connery. Ses autres films préférés étaient *The Sting*, *Butch Cassidy and the Sundance Kid*, *The Clansman*, *The High Commissioner*.

Il détestait *Myra Breckinridge*. Il ne le fit passer qu'une fois et déclara :

— Ils font tellement de films ! Pourquoi n'en font-ils pas que j'aime?

La *Station glaciaire Zebra* restera inscrite, d'une manière vraisemblablement indélébile, dans le cerveau des membres de son entourage. Après la mort de Hughes, Margulis parlait un jour avec des amis et la télévision marchait dans la pièce voisine; on entendit quelques mesures de la musique du film:

— Ils passent la *Station glaciaire Zebra,* voulez-vous changer de canal?

Margulis dit que c'était l'aspect technique du sous-marin qui fascinait Hughes dans ce film racontant le voyage sous la calotte polaire d'un sous-marin atomique envoyé en mission secrète contre les Russes.

— Une seule chose le tracassait: il n'aurait pas placé le réacteur nucléaire à cet endroit du bâtiment. Il le répétait constamment.

Les derniers temps, les films qu'il aimait avaient pour sujets des prouesses audacieuses, des exploits individuels, de fabuleuses machinations, et des techniques imaginaires; peu ou pas de thèmes romantiques ou d'histoires d'amour. Quand cela arrivait, Hughes appelait quelqu'un pour «couper le sentiment».

Dans les films qu'il fit durant sa jeunesse, apparaissaient de belles femmes qui étaient courtisées, conquises, ou perdues. Il n'y avait pas de femme dans son film préféré, comme il n'y en eut pas dans les dix dernières années de sa vie.

Il avait pourtant tenté une dernière combinaison pour amener Jean Peters à Las Vegas. Les assistants murmuraient en confidence qu'un des problèmes de leur patron avec sa femme venait de ce qu'il s'était rendu inaccessible les derniers temps à Bel-Air, et qu'il avait exigé qu'elle reste assise loin de lui durant la courte visite qu'elle lui avait faite à Boston. Il décida de lui trouver une maison luxueuse à Las Vegas. On se demande un peu pourquoi il la voulait là si ses phobies lui interdisaient de s'approcher d'elle; mais l'organisation faisait des pieds et des mains pour réaliser ses moindres désirs.

Ses agents dénichèrent une résidence impressionnante près du quartier chic de Rancho Circle. C'est une enclave boisée, irriguée par des puits artésiens, une oasis dans le paysage aride de Las Vegas. Les maisons y furent construites pour les nababs des casinos et les premières attractions de Las Vegas, baie vitrée pour baie vitrée, elles égalent en splendeur les plus belles villas de Bel-Air. Johnny Carson, le comique Buddy Hackett, Phyllis Maguire habitent Rancho Circle.

La maison choisie pour Jean Peters, sans qu'elle le sache, était celle du major Riddle, propriétaire de l'hôtel des Dunes. C'est une énorme maison de pierre sans étage, entourée d'un grand terrain au 2122 Edgewood Avenue. Elle a trois mille mètres carrés de surface habitable dont une immense chambre de huit cent mètres carrés.

Il y avait une difficulté: le major Riddle voulait la vendre meublée, Hughes la *louer* meublée. Riddle ne céda pas, mais le milliardaire gagna quand même: le directeur d'une banque de Las Vegas, où Hughes avait déposé des sommes considérables, acheta la maison pour six cent mille dollars, puis la loua à l'organisation.

On demanda à Riddle de quitter immédiatement les lieux, ce qu'il fit en moins de quarante-huit heures. Jean ne vint jamais dans la maison. Elle resta inhabitée pendant des années avant d'être finalement vendue à un riche concessionnaire automobile.

En 1970, Hughes renonça à cette façade de mariage et Jean se remaria peu après avec Stanley Hough, un producteur de cinéma d'un âge mieux assorti au sien. Hughes fit annoncer, par Maheu, la dissolution de son mariage, confirmant ainsi pour la première fois qu'il y avait effectivement eu mariage. De fausses rumeurs coururent, prétendant qu'il avait fait à Jean une donation de plusieurs millions de dollars. En fait, Hughes se contenta de lui verser, pendant vingt ans, une rente annuelle de soixante-dix mille dollars qui devait être indexée chaque année sur le coût de la vie, pour la garantir contre l'inflation. En contrepartie, Jean abandonnait toute prétention à l'héritage de son ex-mari.

L'accord ne comportait aucune des clauses habituelles qui auraient interdit à Jean de rien dire ou écrire sur Hughes : ce n'était pas nécessaire ; Jean repoussa toujours les offres qu'on lui faisait pour écrire ses mémoires. Elle dit à ses amis et à plusieurs journalistes :

— Je ne parlerai jamais de ma vie commune avec Howard.

Elle fut l'une des rares personnes à avoir dit « non » à Hughes sans encourir sa colère.

— Il aimait bien Jean, devait dire Stewart. Jusqu'à la fin, il n'en a jamais dit de mal ; au contraire, il disait toujours que c'était une femme remarquable, et continua de s'intéresser à ce qui lui arrivait dans la vie.

— Je ne lui ai pas apporté beaucoup de bonheur, dit-il à Stewart au cours de la dernière année de sa vie... Être liée à un type comme moi n'était pas la vie qu'il lui fallait.

Il lui arrivait de rester assis durant des heures, à ruminer en silence au fond de sa petite chambre du Desert Inn. Il ramassait ses cheveux qui lui tombaient dans le dos et les relevait sur sa tête, puis les laissait retomber et recommençait, indéfiniment.

Parfois, il sortait de sa transe, prenait le téléphone et dictait à Maheu une liste de nouveaux projets. Mais après la première et spectaculaire vague d'achats, ses projets aboutirent de plus en plus rarement. Il annonça son intention de faire construire plus de quatre mille chambres supplémentaires pour le Sands. Il écrivit lui-même le communiqué de presse : le Sands serait devenu le plus grand hôtel jamais construit.

Hughes y promettait « le plus grand complexe de loisirs et de plaisirs au monde (une véritable ville, en fait), des magasins ouverts vingt-quatre heures sur vingt-quatre, un étage entier réservé aux loisirs en famille, le plus grand ensemble au monde de salles de bowling et de billard, une patinoire, des salons d'échecs et de bridge, des pièces réservées au ping-pong et un cinéma pour les grandes premières ». Il devait également y avoir un golf intérieur nocturne, sur pistes électroniques miniatures « conçues pour que les coups ressemblent à de vrais coups à l'extérieur : même l'effet donné à la balle serait mesuré électroniquement et indiqué au joueur... »

Le nouveau Sands devait être « si soigneusement conçu et si magnifiquement réalisé qu'il faudrait faire un effort colossal pour s'y ennuyer ».

Ce Palais du Plaisir ne fut jamais plus qu'un projet, divulgué dans l'unique but de décourager d'autres promoteurs. Pas une motte de terre ne fut retournée.

Il projeta encore un nouvel aéroport pour l'ère supersonique, puis il n'y pensa plus ; un gigantesque circuit automobile qui ne dépassa jamais le stade de l'idée vague, et tourna autour de quatre casinos, qu'il n'acheta jamais.

Ou alors il rêvait : il imagina qu'il achetait toute une flottille d'avions géants. On peut lire dans un mémorandum :

« Le contrat que je viens de signer est un accord passé avec la Loockeed Aircraft Corp., portant sur plus d'un milliard de dollars pour l'achat, sur plans, d'un appareil géant plus gros et plus avancé que tout ce qui vole à l'heure actuelle. Rien d'approchant n'est même encore à l'étude dans le monde... Il va sans dire que j'ai l'intention de faire ma rentrée dans le transport aérien... Personne ne le sait, et je dois vous prier de me garder le secret le plus absolu. »

Dans cette note sur un contrat qu'il n'avait pas signé et des avions qu'il n'avait pas achetés, il ajoutait :

« J'ai déchiré le bas de la dernière page, parce que j'y donnais le nombre et le prix exact des appareils et que, après réflexion, j'ai décidé que ces chiffres ne devaient figurer nulle part, même pas dans une enveloppe scellée. »

Il commençait à cacher des choses qui n'existaient pas.

D'autres fois, après avoir rassemblé ses cheveux et les avoir laissés retomber pendant des heures, il prenait le téléphone pour appeler Maheu :

— Bob, je me sens seul.

Un jour, Noah Dietrich, maintenant presque octogénaire, vint à Las Vegas. Maheu apprit qu'il était en ville et déjeuna avec lui. Ce fut la réunion du plus petit club du monde : les deux seuls hommes à avoir été « premier ministre » du milliardaire. Le plus jeune demanda des conseils à son aîné.

Maheu avait des difficultés d'argent, tout comme Dietrich en avait eu, et pour les mêmes raisons. Représenter dignement Hughes entraînait des frais élevés ; il fallait appartenir aux clubs les plus chers, donner des réceptions, à Washington prendre une suite au Madison, à New York au Regency ou au Carlyle, au Bel-Air à Los Angeles.

Les cinq cent vingt mille dollars de salaire annuel de Maheu n'étaient pas vraiment cinq cent vingt mille : le fisc en avalait beaucoup, et le reste fondait vite à jouer le rôle de Maheu-Hughes avec le panache requis.

Dietrich comprenait : il était passé par là.

— Je vais vous donner un conseil : toutes les fois que Hughes parle de vous donner quelque chose, prenez-le au mot et exigez un papier signé. Sa parole ne vaut pas un pet de lapin.

Maheu avait un deuxième souci :

— Je me suis rendu compte en 1968 que des proches fournissaient à Hughes de fausses informations, manifestement destinées à me nuire. Hughes m'en a parlé lui-même :

— On essaie de provoquer une fêlure entre nous, disait-il. Il faut nous protéger.

— Je lui ai envoyé un message, poursuivit Maheu, lui disant que je pourrais contrôler ces racontars tant que je serais en communication étroite avec lui. Mais je lui ai demandé ce qui m'arriverait si quelque chose lui arrivait à lui.

Maheu reçut son « papier signé », c'était un mémorandum manuscrit :

« J'ai bien reçu votre message. Je ne trouve pas du tout que votre inquiétude est injustifiée. Si je vous promets de trouver rapidement une solution, par exemple une délégation du capital de la Hughes Tool Co, et si je m'acquitte des formalités de façon à pouvoir vous montrer les papiers dans un délai raisonnable, considéreriez-vous la chose comme faite, et que vous pourriez dormir sur vos deux oreilles ? J'anticipe une réponse affirmative et j'agis en conséquence. »

Maheu était fou de joie. Il déposa le papier dans un coffre à la banque et retourna tout revigoré jouer son rôle de Maheu-Hughes.

« *Une délégation du capital de la Hughes Tool Co.* » C'était l'accès à tous les trésors de l'empire. Hughes n'avait jamais cédé une seule action de la Toolco à personne... S'il déléguait à Maheu la totalité du stock...

Des nuages de félicité obscurcissaient sa vision des choses. De son propre aveu, Maheu n'avait pas l'oeil froid d'un homme d'affaires. Quand il avait affaire à des documents, il faisait appel à un avocat. Mais il était hors de question qu'il montre celui-là : c'était la confidence du coeur de Hughes à son associé inquiet.

Évidemment, le mémorandum ne valait que la feuille de papier jaune sur laquelle il était écrit. Les deux petits « si » qui y étaient glissés étaient beaucoup plus importants que le « rapidement », la « délégation », le « vous montrer les papiers », le « délai raisonnable » et le « j'agis en conséquence ».

Quand le temps fut venu, Hughes fit une délégation de pouvoirs, une vraie, qui ne contenait aucun « si ». Elle n'était pas en faveur de Bob Maheu ; elle portait les noms de Bill Gay, de Chester Davis et de Raymond Holliday. Ceux-ci l'utilisèrent, avec la bénédiction de Hughes, pour précipiter Maheu à bas de son piédestal.

6

LA CHUTE DE MAHEU

Il adorait manoeuvrer les gens, dit Gordon Margulis. Il flattait l'un de ses assistants quand il voulait lui faire faire quelque chose de difficile, d'idiot ou de déplaisant. Puis il disait à un autre : « Je suis heureux que ce soit vous qui êtes de service : cet animal est incapable de faire quoi que ce soit correctement. » Il était passé maître dans l'art d'utiliser les gens les uns contre les autres.

Hughes commença en 1968 à utiliser Maheu contre Chester Davis et vice versa. Davis avait soutenu la bataille de la T.W.A. du début à la fin. Au début des années soixante, lorsque commença le procès, Hughes chercha un avocat ; ses agents ne purent trouver à New York de cabinet important qui acceptât de plaider la cause : la plupart représentaient déjà ses adversaires. Ils ne pouvaient accepter la clientèle de Hughes sans se trouver en conflit d'intérêts.

Chester Davis travaillait alors avec le prestigieux cabinet Simpson, Thacher et Barlett, aristocratie du barreau. Il y était depuis des années et y avait acquis la réputation d'un avocat plaidant redoutable. D'autres membres du cabinet admiraient sa compétence, mais levaient parfois un sourcil réprobateur devant son ambition et son style contondant.

Même ses intimes chez Simpson, Thacher, ne connaissaient pas ses origines. On pensait qu'il appartenait à une vieille famille fortunée du New Jersey, bien que l'annuaire Martingdale portât seulement : « né à Rome, en Italie, le 14 octobre 1910 ». Ceux qui savaient qu'il était né en Italie pensaient que ses parents avaient dû y faire un séjour à cette époque.

En réalité, Davis s'appelait César Simon, né de mère italienne et de père algérien. Son père était mort alors qu'il était encore enfant ; sa mère avait émigré aux États-Unis en 1922. Son fils avait alors douze ans. Elle avait épousé M. Davis, le 15 novembre 1935. César Simon devint citoyen des États-Unis et changea son nom en Chester C. Dàvis. Il fréquenta de bonnes écoles, puis obtint ses diplômes de droit à Harvard, mais dans ses veines coulait le sang chaud des Méditerranéens.

On le pressentit pour le procès Hughes-contre-T.W.A. et il découvrit que Simpson, Thacher et Barlett seraient également en situation de conflit d'intérêts s'il prenait l'affaire. Mais il offrit une solution : il démissionnerait de chez Simpson, Thacher, ouvrirait son propre cabinet vierge de tous liens, et prendrait l'organisation Hughes comme client.

Il installa ses bureaux dans le quartier de Wall Street. Quand les énormes honoraires de Hughes commencèrent à affluer, il alla s'installer dans une suite luxueuse de la Plaza One State Street. De son bureau, il avait une vue plongeante sur la Statue de la Liberté, devant laquelle était passé le bateau dont, enfant, il avait été passager.

Au départ, l'empire Hughes fut son seul client ; il reste son client le plus important. La tâche de Davis n'était pas facile. Théoriquement, il représentait la Hughes Tool Co. et non le milliardaire ; mais le détail des opérations avec la T.W.A. était nécessaire dans la tête de Hughes. Chester Davis avait un client qui non seulement ne voulait pas le recevoir, mais qu'un troupeau de chevaux sauvages n'aurait pas traîné devant un tribunal ni dans un bureau d'avocat. Néanmoins, il se battit pendant des années, brillamment, obstinément (lucrativement). Et sans succès : d'échec en échec, il arriva devant la Cour suprême des États-Unis.

En septembre 1968, l'ancien procureur général, Herbert Brownell, déposa ses conclusions devant la Cour : il recommandait que la Hughes Tool Co., c'est-à-dire Howard Hughes, fut condamné à payer $131.611.435,95 de dommages et intérêts. Ce fut une mauvaise surprise pour Davis, une pire encore pour Hughes, à qui l'on avait assuré que les charges ne pourraient guère dépasser cinq millions de dollars.

Le 23 décembre 1969, la veille de l'anniversaire de Hughes, le juge Charles Metzner approuva les conclusions de Brownell, et augmenta la somme des dépens pour la porter à 145.448.141,07 dollars.

Dans sa petite chambre, allongé sur sa chaise longue, Hughes s'en prit à un monde injuste :

— Est-ce qu'on peut appeler ça un cadeau d'anniversaire ?

Quand Brownell produisit ses conclusions, le vent se mit à tourner contre Davis, et Hughes reporta sur Maheu toute la responsabilité du procès. Conscient de l'énormité des sommes en jeu, Maheu dit à Hughes qu'il voulait que son autorité soit confirmée par les directeurs de la Hughes Tool Co.

— Eh bien, prenez le téléphone et demandez-leur ce qu'il vous faut !

Mais Maheu ne bougea pas.

— Dans une affaire de cette importance, je pense que cela doit venir de vous, pas de moi.

Peu après, Maheu reçut les pleins pouvoirs du conseil d'administration de Toolco.

Quand le juge Metzner apposa le sceau du tribunal sur le jugement, Hughes envoya une autre note à Maheu ; elle renforçait son autorité et contenait une insinuation subtile : « Bob, essayez de comprendre quelque chose que je ne pense pas que vous ayez saisi jusqu'ici : c'est à vous de prendre les décisions dans l'affaire de la T.W.A. »

Il disait en substance qu'il ne voulait plus en entendre parler tant que Maheu n'aurait pas trouvé une solution.

« Je vous redis, écrivait-il, que vous avez toute autorité pour agir au mieux dans toute cette affaire... C'est aussi à vous de *décider de la question de la représentation légale*. Si je vous tiens responsable de l'issue du procès, je dois vous donner *complète autorité pour choisir les avocats qui s'occuperont de chacune de ses phases.* »

Maheu consulta trois cabinets très connus, dont celui que dirige Clark Clifford, ancien ministre de la Défense. Ensuite il élabora une stratégie.

Selon Tinnin, dans l'étude qu'il a faite du procès, on lui avait dit en substance qu'« il fallait élaborer une nouvelle stratégie pour l'appel. Elle devrait reposer sur l'argument que Howard Hughes avait été insuffisamment représenté devant les tribunaux inférieurs... » Mais le problème était que cette position prenait le contre-pied de la stratégie précédente. Il fallait donc trouver un bouc émissaire. Qui, sinon Chester Davis ? Selon certains, le nom de Davis ne devrait même pas apparaître dans le texte de la plaidoirie...

Cette stratégie posait à Maheu un problème délicat. Il savait que Chester Davis n'était pas homme à se sacrifier : si on le contrait, il avait plutôt tendance à devenir féroce. Son cabinet avait presque tous ses oeufs dans le panier de Hughes et Davis tolérerait difficilement qu'on marche dessus. De plus, les deux hommes avaient noué des relations amicales huit ou neuf ans auparavant, quand Maheu égarait les poursuivants de Hughes et que Davis entreprenait ses premières démarches. Ils avaient bu, mangé, pris l'avion ensemble, préparé ensemble et coordonné leurs actions contre la T.W.A. Tous deux avaient le même sentiment de ne pas vraiment appartenir au monde de Hughes, et d'être jalousés par les vétérans de Romaine et de Houston.

Maheu tenta d'amortir le coup porté à l'orgueil de Davis et de diminuer la menace qui planait sur son portefeuille. Il lui assura qu'il demeurerait le principal avocat des intérêts Hughes, mais que quelqu'un d'autre s'occuperait de l'affaire de T.W.A.

Pour s'assurer que Hughes comprendrait bien qu'il ne déclenchait pas une vendetta contre Davis, Maheu dit qu'il envoya à son patron une note lui résumant les conseils qu'il avait reçus.

— J'appris plus tard, de trois sources différentes, que cette note ne parvint jamais à Hughes, devait-il dire.

Napoléon se plaignait qu'un empereur, perdu dans son palace, dût se fier aux nouvelles apportées par ses ministres. Dans sa petite chambre, Hughes était encore plus isolé. Il avait lui-même exclu de son entourage son « premier ministre », son principal avocat et ses directeurs généraux. Il dépendait entièrement des nouvelles filtrées par ses assistants, l'ancien voyageur de commerce et les anciens chauffeurs dévoués à Bill Gay. Ils contrôlaient le standard téléphonique et transmettaient les mémorandums.

Maheu tenait les rênes du pouvoir, mais les protégés de Bill Gay contrôlaient toutes les communications.

— Combien de fois ai-je suggéré à Hughes de nous entretenir en tête à tête? dit Maheu. Il m'a toujours repoussé à plus tard, me disant : Un de ces jours... mais un de ces jours n'est jamais venu.

Revoyant la période de ces luttes de palais perdues, Maheu déclare :

— En prenant un peu de distance, je comprends des faits à côté desquels je suis passé à l'époque. Si on les rapproche, on obtient un puzzle assez fascinant.

En 1969, peu après que le procès de la T.W.A. eut été confié à Maheu, l'un des assistants vint le trouver :

— Monsieur Hughes voudrait récupérer ses mémorandums. Je dois les reprendre et les lui apporter. Il a dit qu'il voulait réviser ses projets, voir ce qui avait été fait et ce qui restait à faire.

Maheu rassembla les mémorandums et en remit plus de trois cents. Plusieurs des plus importants étaient enfermés dans un coffre du Desert Inn. Il n'y avait qu'une clef, confiée au fils et adjoint de Maheu, Peter, qui était absent.

— L'assistant avait l'air si contrarié que j'ai fait venir quelqu'un pour percer le coffre-fort au chalumeau afin que nous puissions prendre ce qu'il y avait dedans. L'assistant emmena les papiers, et avec eux toute possibilité de vérification de ce qu'avaient été les instructions de Hughes à Maheu...

... Une fois, je jouais au tennis avec Bill Gay, lors d'une de ses rares apparitions à Las Vegas. L'un des assistants apparut, portant une enveloppe de papier brun. Je fus appelé au téléphone. Cela ne prit pas plus d'une minute et quand je revins, Gay était en train de lire certains des mémos que j'avais envoyés à Hughes. Je ne laissai pas voir que je l'avais surpris ; je pensai sur le moment que c'était simple curiosité de sa part. »

Puis Maheu reçut de nouvelles instructions : « J'ai décidé de ne plus vous demander de m'envoyer des notes sous enveloppe fermée. Cela vous prend du temps, et *mes hommes pensent que je ne leur fais pas confiance.* C'est pourquoi, à l'avenir, sauf en de rares occasions, je préfère que vous téléphoniez vos réponses et ce *quel que soit l'homme de service à ce moment.* »

À partir de ce moment, tout ce que Maheu avait à dire à Hughes passait par la Garde du Palais.

La seule communication directe possible était un appel de Hughes, puisque celui-ci pouvait appeler son subordonné alors que l'inverse était impossible. Lorsque Maheu appelait la suite, on lui répondait souvent que Hughes dormait, ou ne se sentait pas bien, ou travaillait.

Puis le milliardaire appela de moins en moins ; puis cessa tout à fait à un moment critique : celui où Maheu dut prendre la décision de faire d'un ami de longue date, Chester Davis, un bouc émissaire.

Juste au moment où Maheu avait besoin de son patron, celui-ci devenait silencieux. On lui dit que le milliardaire ne se sentait pas bien et qu'il ne serait pas possible de le joindre pendant un certain temps.

— Il me faisait dire de poursuivre selon les anciennes directives... C'était déjà arrivé et ça ne m'alarma pas outre mesure.

Maheu apprit donc à Chester Davis la mauvaise nouvelle que quelqu'un d'autre allait occuper le devant de la scène dans l'affaire de la T.W.A. Il reçut en retour un message cinglant lui enjoignant de cesser d'intervenir dans les affaires judiciaires de Hughes. La rupture était nette, brutale, et prévisible.

Confiant dans la note de Hughes lui donnant « pleins pouvoirs » dans le procès de la T.W.A. et, en particulier, dans le choix d'une firme d'avocats, Maheu expédia par telex une réponse très dure :

« Vous avez jusqu'ici perdu le procès à tous les échelons, avec des conséquences, financières et autres, désastreuses pour le défendant... Je ne peux croire, au vu des résultats précédents, que votre présence nous obtiendra la victoire en appel... Les dépens atteignent aujourd'hui une somme astronomique. Votre remarque présomptueuse sur mon ingérence dans des affaires dont d'autres avaient été chargés m'a énormément déplu. Il n'y a eu de ma part d'autre ingérence que de permettre à un autre avocat de tenter de sauver une cause que vous avez tragiquement compromise. »

Pendant que Maheu croisait le fer avec Davis, Hughes se préparait secrètement à quitter Las Vegas. Il avait commencé d'y penser un an et demi plus tôt, mais n'en avait parlé à personne.

Gordon Margulis savait depuis longtemps que son patron avait quelque chose derrière la tête, mais il ne savait pas quoi.

— En 1969, on m'avait dit de me tenir prêt à sauter dans un avion d'une minute à l'autre. J'ai préparé une valise que j'ai gardée prête dans ma chambre au Desert Inn. Elle y est restée dix-huit longs mois.

*

En 1970, Hughes avait perdu sa femme, perdu l'avant-dernier procès de la T.W.A., perdu tout intérêt à sa « baronnie » de Las Vegas. Dans sa chambre de six mètres sur cinq, ses désirs faisaient loi, mais en dehors, les gens ne se conduisaient pas toujours comme ils auraient dû.

Il était l'homme le plus puissant du Nevada. Il surveillait tous les jours les statistiques des salles de jeu, rêvant de dépasser ses deux plus sérieux concurrents, Dell Webb et William Harrah, d'avoir plus de tables de passe anglaise et de vingt et un, plus de machines à sous, et le plus haut pourcentage de jeux de tout l'État. Avec sa dernière acquisition, le Harold's Club de Reno, il était devenu le roi du jeu du Nevada. Les hommes politiques et les hauts fonctionnaires n'avaient rien à lui refuser.

Le vice-président Spiro Agnew vint, sur son invitation, de Washington faire une croisière à Catalina sur le yacht de son hôte invisible. Le Président Nixon proposa de lui envoyer Henri Kissinger pour négocier une détente sur la question des expériences nucléaires de la Commission à l'énergie atomique.

Mais ce n'était pas encore assez. Hughes exhala son mécontentement au cours d'une conversation téléphonique avec Maheu, pendant l'été 1970. Cette conversation fut enregistrée au magnétophone, et la bande fut ensuite réclamée à Peter, le fils de Maheu, par les avocats de Hughes, lors des poursuites en diffamation que Maheu intenta à son ex-patron en 1974. C'est un des premiers témoignages véridiques que l'on ait sur la manière dont Hughes voyait son propre univers. Étant donné sa manie du secret, il est ironique que cette conversation privée ait été dévoilée par ses propres avocats. Il est d'autant plus étonnant que la bande ait été retenue comme pièce à conviction par la défense, qu'elle n'a finalement pas été utilisée pendant le procès.

Hughes possédait sept casinos, une bonne partie du terrain non bâti du Strip de Las Vegas, un aéroport, un ranch de deux cent vingts hectares acheté à la veuve d'Alfred Krupp, le fabricant d'armement allemand, sa propre station de télévision, quinze mille hectares de terrain près de Las Vegas, il avait l'administration de l'État dans sa manche, et il se trouvait « gêné aux entournures » :

— Le problème au Nevada, disait-il, c'est qu'il faut traiter avec trop de gens. C'est comme si j'étais un nageur retenu par une masse d'algues, vous voyez ce que je veux dire ?...

...Je ne peux pas ouvrir le journal sans voir un conflit qui touche à nos intérêts, auquel nous avons des raisons de nous intéresser, dont l'issue nous concerne directement... Chacune de ces affaires exige qu'on s'en occupe. Chacune constitue un risque. Toute personne qui obtient l'autorisation de creuser un puits dans les environs, pour y prendre l'eau destinée à son usage domestique, est en fait un voisin dont nous devons respecter les buts et les activités... nous ne pouvons pas lever le petit doigt sans nous préoccuper des conséquences et des réactions de toute la population environnante...

...Je voudrais bien trouver un endroit où nous pourrions tout recommencer à zéro et bâtir une communauté qui serait exactement ce que je pense qu'elle doit être.

Il dit un jour qu'il avait pensé acquérir un coin de terre dans une autre partie du Nevada pour y construire le genre de ville auquel il rêvait, « où nous serions un peu plus libres de nos mouvements qu'à Las Vegas... Ah ! mais ça ne serait guère différent... quoi qu'on fasse, on serait encore au Nevada ; et moi, je cherche un truc pour être un peu plus libre... »

Il songeait aux Bahamas, il l'avait dit à Maheu ; celui-ci avait fait faire une étude politico-économique sur les Bahamas ; ce rapport portait le nom de code de « Downhill Racer ». On y indiquait que le gouvernement était instable et que les indigènes commençaient à bouger :

quelque temps auparavant, le service, dans un restaurant « d'un certain colonel du Kentucky » avait déplu à des Noirs ; la nuit suivante, ils le firent sauter. Maheu dit aussi à Hughes que les « hommes de Bay Street » (les Blancs qui dirigeaient alors Nassau) étaient vraiment très durs avec les Noirs.

Hughes avait du mal à le comprendre :

— Mais, nom d'une pipe, pourquoi ? La population de Nassau n'a pas été maltraitée. Elle nage dans le luxe, non ? Les gens de couleur, les employés d'hôtel et tout ça, avaient l'air de pas trop mal s'en sortir... les pourboires étaient bons... j'ai toujours pensé que les Noirs se la coulaient douce à Nassau !

Il laissait son esprit vagabonder sur la carte, cherchant l'endroit idéal. Il avait des raisons de croire qu'à Porto Rico on se mettrait en quatre pour le satisfaire, mais il n'aimait pas beaucoup la situation géographique...

Quant aux petites îles et aux « keys » au large de la Floride, il n'y a pas un seul hôtel suffisamment confortable.

Le Mexique était « encore pire ». La situation géographique de Hawaii lui convenait mais il avait peur de « se trouver en face des mêmes problèmes qu'au Nevada ».

Il en revenait sans cesse aux Bahamas, c'est là qu'il avait envie d'aller. Le rapport de Maheu l'irritait. Il eut soudain une idée que lui seul pouvait avoir :

— Si je décidais d'aller là-bas, il faudrait que vous vous débrouilliez pour... hum... envelopper le gouvernement, que ces gens-là viennent nous manger dans la main.

Ce coup de téléphone devait être un des derniers que Maheu recevrait. Un mois plus tard, à peu près, le Nevada élut un nouveau gouverneur à la place de Laxalt, qui n'avait pas le droit de se succéder à lui-même.

Hughes avait décidé que Howard Fike, le lieutenant-gouverneur, conviendrait parfaitement, qu'il serait aussi souple que Laxalt, et il avait généreusement soutenu la campagne du candidat républicain. Les électeurs du Nevada lui préférèrent le démocrate Mike O'Callaghan, un ancien Marine d'origine irlandaise et de caractère indépendant. L'intransigeance des citoyens raffermit Hughes dans sa décision de quitter le Nevada : son chemin était maintenant encombré par un gouverneur qui ne lui devait rien.

À peu près au même moment, il fut atteint d'un coup encore plus dur : les informations soigneusement filtrées qui parvenaient dans sa chambre isolée le convainquirent que Bob Maheu lui volait d'énormes sommes d'argent. Son alter ego, l'homme en qui il avait mis sa confiance, qu'il consultait d'égal à égal, à qui il se confiait, qu'il respectait, qu'il avait revêtu de l'appareil de son autorité pour le représenter à l'extérieur, l'avait remercié, dit-on à Hughes, en le trahissant.

On ne saura vraisemblablement jamais qui a joué ce rôle de Iago auprès de Hughes-Othello, qui l'a convaincu que Maheu l'avait volé et quel genre d'informations fut utilisé.

Cependant, deux choses sont sûres : Hughes a cru les histoires qu'on lui a racontées sur Maheu ; il a maintenant été prouvé devant les tribunaux que ces accusations étaient sans fondement.

Deux ans après la fuite de Hughes de Las Vegas, au cours de la fameuse interview téléphonique où il rejeta la fausse autobiographie d'Irving, un journaliste lui demanda pourquoi il avait mis Maheu à la porte, Hughes répondit en s'emportant :

— Parce que c'était un salaud, un bon à rien, un enfant de garce qui me volait comme au coin d'un bois !

L'animateur de la NBC qui dirigeait l'entretien, Roy Neal, tenta de changer de sujet, mais Hughes ne l'entendait pas ainsi, et ajouta qu'avec les nouvelles méthodes de vérification comptable cela pouvait sembler impossible, mais que «le fait était là et que l'argent était dans sa poche».

Dans la poursuite en diffamation que lui intenta alors Maheu, tous les avocats de Hughes reconnurent que les termes employés étaient calomnieux s'ils n'étaient pas exacts, et basèrent toute la défense sur leur exactitude.

Ils engagèrent Intertel, l'agence de police privée connue dans tout le pays, pour accréditer les accusations de Hughes. Cinq cent vingt-cinq enquêtes différentes furent faites sur Maheu, ses dossiers furent épluchés, ses associés interrogés, ainsi que ses amis et ses ennemis. En dépit de ces recherches approfondies, les avocats de Hughes ne purent réunir aucune preuve contre Maheu. Au bout de cinq mois de procès, le jury fut unanime à condamner Hughes à deux millions huit cent mille dollars de dommages et intérêts.

Mais en novembre 1970, quand on le convainquit de la «trahison» de Maheu, Hughes se trouva dans une situation cruelle: dans le temps, il aurait décroché le téléphone et ordonné à Noah Dietrich de «foutre ce salaud à la porte», puis il aurait disparu. Il avait toujours évité les scènes... L'un des avantages de la puissance, c'est la possibilité de déléguer les tâches désagréables.

Il pouvait mettre lui-même Maheu à la porte. Mais son état s'était aggravé ces derniers temps. Le Dr Feikes, dépêché d'urgence près du malade, le trouva souffrant d'une pneumonie, d'une anémie due à la malnutrition, avec un taux d'hémoglobine de quatre (au lieu d'un taux normal de quatorze ou plus).

Il ordonna une grosse transfusion de sang; et Hughes commençait seulement à retrouver son état de santé habituel assez précaire.

Il n'avait ni la force, ni l'énergie, ni le désir d'affronter Bob Maheu. Dans le bon vieux temps où Maheu égarait ses ennemis, les faisait tomber dans ses chausse-trapes, les envoyait rouler dans les fossés, Hughes lui avait souvent dit son admiration:

— Bob, je n'aimerais pas vous avoir pour ennemi!

Une fois aussi, peu après l'arrivée à Las Vegas, un drogué-cambrioleur était entré par effraction dans la maison de Maheu en pleine nuit; il s'était enfui quand Maheu alluma, mais celui-ci le poursuivit, seul, sans arme, et le captura après une folle poursuite autour de la piscine du Desert Inn.

Puisque Hughes ne pouvait se résoudre à abattre Maheu lui-même, il lui fallait trouver un exécuteur et, par conséquent, consentir une exceptionnelle délégation de ses pouvoirs.

Il envoya trois hommes faire le travail. Le 14 novembre, il signa une procuration à Chester Davis, Bill Gay et Raymond Holliday pour «agir en mes lieu et place» et «exercer tous mes droits d'actionnaire». Il y avait une restriction retorse à ce pouvoir: les trois hommes ne pouvaient vendre, transférer ni autrement disposer d'aucune de ses actions.

Le document avait été établi au bureau de New York de Chester Davis et câblé à la suite du Desert Inn. On devait dire, plus tard, qu'il était l'aboutissement de trois mois de discussions entre Bill Gay, Chester Davis et la Garde du Palais.

Ce fut Howard Eckersley qui apporta la procuration dans la petite chambre, suivi de Levar Myler. Hughes était assis, silencieux, dans sa vieille chaise longue.

Eckersley lui tendit la procuration. Il était très inhabituel que *deux* gardes pénètrent en même temps dans la chambre obscure ; Hughes leva les yeux, fit un geste vers le fidèle Myler et demanda d'un ton plaintif :

— Qu'est-ce qu'il fait là, lui ?

— Je suis le notaire, expliqua Eckersley, et Levar est le témoin. Il faut un témoin.

Hughes acquiesça, posa la procuration sur son bloc et essaya de signer. Cela n'allait pas.

— D'autres blocs, ordonna-t-il.

Les aides de camp en firent une pile et Hughes signa, puis il tendit le document à Myler et lui dit de l'enfermer dans un coffre-fort et d'attendre de nouvelles instructions.

Myler fila et enferma le papier dans son propre coffret à sa banque. Il donna ensuite un coup de téléphone à Bill Gay. Plus tard, sous la foi du serment, Myler affirma que Bill Gay fut la seule personne de l'empire Hughes à savoir que la procuration était signée, légalisée et prête à être utilisée.

La guillotine était prête et la lame affûtée. Sur un signe de Hughes, la tête de Maheu tomberait.

Mais certaines tâches furent d'abord assignées à la Machinerie du Secret. Non seulement Hughes ne voulait pas mettre lui-même Maheu à la porte, mais il voulait être loin quand cela se passerait et sa mauvaise condition physique le rendait difficilement transportable.

Il avait décidé d'aller aux Bahamas, malgré les avertissements de Maheu. Effectivement, c'était une curieuse cachette pour un milliardaire qui s'imaginait encore que les Noirs vivaient heureux des pourboires qu'on leur laissait. Mais son entêtement et son ressentiment à l'égard de Maheu étaient tels que Hughes a bien pu décider d'aller à Nassau uniquement pour prouver que son collaborateur avait tort. Il allait ainsi non seulement se servir du nouvel ennemi de Maheu, Chester Davis, et de l'ancien, Bill Gay, pour le chasser, mais il allait donner l'ordre de le faire de l'endroit même que Maheu lui avait déconseillé.

Il alla à Nassau, mais c'était Maheu qui avait eu raison. Ce fut Hughes, et non Maheu, qui fut humilié, et plus qu'il ne l'avait jamais été de sa vie. Bien loin que le gouvernement des Bahamas vienne lui manger dans la main, il faillit bien goûter de ses prisons.

7

LA FUITE DE LAS VEGAS

L'opération « départ de Las Vegas » fut parfaitement réussie. Ses assistants firent quitter le Desert Inn à Hughes dans un secret total, et l'avaient installé dans une autre petite chambre obscure aux Bahamas avant que quiconque, même ses gardes, se soit aperçu qu'il n'était plus à Las Vegas.

La Machinerie du Secret fonctionna si bien que le départ du milliardaire donna naissance à toute une série de nouveaux mythes ; un nouveau *Rashomon* dont chaque version était colorée par les désirs, les préjugés et les fantasmes de celui qui la racontait.

Bob Maheu crut que Hughes avait été enlevé de force au cours d'une sorte de « révolution de Palais ». Quand il apprit qu'il était à l'hôtel Britannia Beach sur Paradise Island, au large de Nassau, il y expédia une équipe de détectives privés pour tâcher de savoir s'il y était détenu contre sa volonté. Ils affrétèrent même un bateau pour faire évader le milliardaire s'il avait vraiment été prisonnier. Les agents de sécurité de Hughes découvrirent les hommes de Maheu et les firent expulser de l'île.

Hank Greenspun, qui fut le premier à signaler la disparition de Hughes dans les colonnes du *Las Vegas Sun*, prétendit qu'il était dans le coma quand il avait été emmené.

Un « témoin oculaire » se présenta, qui affirmait avoir vu des hommes traverser le parking du Desert Inn, en entraînant un Hughes qui hurlait :

— Qu'on appelle Bob Maheu ou Pat Hyland !

On vit plus tard une femme mince et crispée, qui portait des lunettes noires et refusa de dévoiler son identité, assaillir les journalistes pour leur raconter « la véritable histoire de la disparition de Hughes ». Elle prétendit que la Mafia avait « touché son coeur à distance » au moyen d'un rayon laser, déclenchant alors « une crise cardiaque artificielle ». Les Mafiosi l'avaient alors emmené en captivité pour s'assurer le contrôle de son empire du jeu.

Le magazine *Time* publia un récit détaillé qui fit sourire ceux qui avaient organisé le transport de Hughes : « Quelques minutes avant dix heures, la veille du jour de l'Action de grâces, Howard Hughes enfila un vieux pull sur sa chemise blanche au col ouvert, mit un feutre et se dirigea vers la sortie de secours du neuvième étage du Desert Inn... La longue et mince silhouette du milliardaire disparut par une sortie depuis longtemps inutilisée et il descendit à pied les neuf étages qui la séparaient du parking de l'hôtel. »

Les plans du départ furent gardés strictement secrets jusqu'à la veille.

Cependant, Margulis sentait, depuis quelques jours, qu'il y avait quelque chose dans l'air :

— On sentait une espèce de tension, et un flot d'appels téléphoniques passait par le Bureau. Avant le départ, plusieurs assistants commencèrent à déménager discrètement des cartons et du matériel.

La veille de l'Action de grâces, John Holmes dit à ceux qui avaient été choisis pour faire le voyage :

— Nous partons cette nuit. Ne le dites à personne, je dis bien à *personne*.

Il ne dit pas où on emmenait Hughes.

Quatre des cinq hommes de confiance, Holmes, Eckersley, Myler et Francom, étaient dans le secret; Margulis, Mell Stewart, Carl Romm, l'adjoint de Margulis, et un médecin, le Dr Norman Crane, l'étaient également. Jack Real fournit l'avion, un Lockheed Jet Star. Il attendait sur une piste de la base aérienne de Nellis, à environ vingt kilomètres au nord-est de Las Vegas. Ni le pilote, ni le copilote n'appartenaient à l'organisation Hughes. Personne ne leur avait dit qui ils allaient transporter.

Un petit groupe de limousines, venues de Romaine, étaient garées dans le parking derrière le Desert Inn, pour servir de leurre.

La nouvelle du départ imminent fut cachée au cinquième homme de confiance, Roy Crawford, pourtant l'un des favoris, et membre de l'entourage depuis des années, depuis que Hughes s'était « retiré du monde ». Mais Crawford avait été le principal messager entre Hughes et Maheu, il avait lié des relations étroites — à la demande de Hughes — avec Hank Greenspun, l'éditeur du *Sun*. Maheu aussi, également à la demande de Hughes. Hughes avait acheté à Greenspun sa station de télévision, son terrain de golf de Paradise Valley et lui avait prêté trois millions de dollars à seulement quatre pour cent d'intérêt.

— Je pense qu'il croyait m'acheter par-dessus le marché... Il a appris qu'il n'en était rien, dit Greenspun.

Maheu avait traité avec Greenspun, en tant qu'agent de Hughes, et avait toujours tenu celui-ci au courant des transactions. Toujours, une fois l'accord rédigé et signé par les parties, Hughes l'approuvait et ses propres avocats réglaient les dernières formalités.

La Machinerie du Secret était si bien cloisonnée qu'un rouage ne savait rien de l'activité d'un autre. Ceux qui s'occupaient de transporter Hughes aux Bahamas savaient seulement que Maheu était soudain devenu « l'ennemi ». Crawford avait été trop lié avec Maheu et Greenspun : il était devenu « douteux » ; c'est pour cette raison qu'on ne lui avait pas dévoilé ce qui se préparait.

Le soir du départ, Crawford n'était pas de service. Les aides de camp dirent à Margulis de tenir Crawford dans l'ignorance. Ce dernier dînait avec quelques amis dans la salle Monte Carlo, et Margulis le savait.

— Qu'est-ce qu'on fait pour Roy ? demanda Gordon.

— Il est à un mariage. Il a beaucoup travaillé, ces derniers temps, nous n'allons pas le déranger et gâcher sa soirée. Si vous le rencontrez par hasard, *ne lui dites rien.* Laissez-le s'amuser un peu.

— Je crus ce qu'on me dit. Je n'ai su que beaucoup plus tard qu'on cherchait à écarter Crawford. Un jour ou deux après le départ de Hughes, je vis Roy, par hasard, et lui demandai s'il s'était amusé au mariage.

Roy m'a regardé comme si j'étais fou :

— Quel mariage ?

J'ai tourné les talons en bafouillant.

Bien sûr, Crawford continua de recevoir sa paye : il connaissait beaucoup des secrets de Hughes. Il fut rapatrié en Californie, à Romaine ; il est encore aujourd'hui employé par Summa.

Tard dans la nuit, tout était prêt pour la dernière phase de l'opération. On appela Margulis au neuvième étage ; il franchit les deux portes du bureau de garde et du Bureau des assistants.

La porte de la chambre de Hughes s'ouvrit et on sortit le milliardaire sur une civière. Ses cheveux gris, longs d'une quarantaine de centimètres, étaient bizarrement surmontés d'un Stetson brun à large bord, semblable à celui qu'il portait toujours dans les années 30, à l'époque où il pulvérisait les records d'aviation. (Plusieurs mois auparavant, Mell Stewart avait couru les magasins de Las Vegas pour trouver le modèle démodé qu'exigeait le patron.) Les yeux profondément cernés et enfoncés dans les orbites, le milliardaire ne pesait guère plus de cinquante kilos. Il portait un pyjama bleu, et, d'après Gordon, ses jambes et ses bras étaient squelettiques.

Sa tête reposait sur un oreiller recouvert d'un sac de plastique. Il était visiblement très faible, mais lucide. Il regarda Margulis et lui dit :

— Salut, Gordon.

« Eckersley et moi à l'avant, Holmes et Francon derrière, nous saisîmes la civière. »

L'étage supérieur a deux sorties de secours intérieures. L'accès à la première se trouve sur le palier de l'ascenseur, l'autre est à l'autre bout du couloir et débouche sur la façade du Desert Inn. C'est la deuxième qui fut choisie pour que Hughes ne soit pas vu, même de son propre garde.

Le groupe quitta silencieusement le Bureau, tourna à droite et s'engagea dans l'escalier de secours. Margulis passa le premier, tenant très haut l'avant de la civière, pour la maintenir horizontale. Ils descendirent précautionneusement les neuf étages, une marche à la fois, comme une solennelle procession religieuse portant haut une relique sacrée ou une icône.

— C'est bigrement étroit, dit Hughes, pendant la descente, c'est une bonne chose que j'aie maigri, hein !

— Gardez vos bras le long du corps, répondit Margulis, et tout ira bien.

Au rez-de-chaussée, un guetteur leur fit signe que la voie était libre et ils accélérèrent. Un fourgon ordinaire les attendait ; ils y glissèrent le brancard, puis Eckersley, Holmes et Francom s'y entassèrent, et le fourgon s'engagea doucement sur le Strip désert, en direction de Nellis.

Sur la piste, on ordonna aux deux pilotes de s'éloigner et de tourner le dos à l'appareil. La civière fut hissée à bord et les hommes embarquèrent : Holmes, Eckersley, Myler, Francom, Carl Romm et le Dr Norman Crane. Une fois Hughes caché à l'arrière de l'appareil, on autorisa les deux pilotes à reprendre place à bord, après les avoir prévenus qu'à aucun moment, durant le vol, ils ne devraient se retourner.

Cependant, peu avant le départ de Hughes du Desert Inn, un petit groupe d'hommes sortit ostensiblement de l'hôtel et monta dans les limousines de Romaine garées derrière ; elles partirent en trombe pour l'aéroport Mc Carran. Cet appeau motorisé devait attirer l'attention de tout espion ou « ennemi » qui se trouverait là et le mener sur une fausse piste. Il fut inutile : la fuite du milliardaire passa inaperçue.

Quand ils eurent mis Hughes dans le fourgon, Margulis et un autre employé allèrent à une cabine téléphonique située près d'un comptoir à hamburgers, à environ un kilomètre cinq cent de là. Ils attendirent quelques minutes, puis appelèrent.

— Tout va bien ?

— Ils sont partis.

Le coup de téléphone était attendu au standard de Romaine. Le poste de commandement, longtemps déconnecté, fonctionnait à nouveau. Les lignes de communications de Maheu étaient coupées, le neuvième étage du Desert Inn ne servait plus, et Bill Gay se retrouvait au centre de l'action.

Le jour de l'Action de grâces, Margulis joua toute une comédie pour faire croire que Hughes se trouvait toujours là-haut dans la suite, alors qu'il était dans une cachette sûre, à cinq mille kilomètres de là. Dans la matinée, il descendit aux cuisines et commanda « un dîner spécial à la dinde pour le patron ». Les chefs passèrent une bonne partie de la journée à le préparer. Quand il fut prêt, Margulis le posa sur une table roulante qu'il poussa dans l'ascenseur et monta jusqu'à la suite abandonnée.

Le dîner fut mangé par deux employés. Le même jour, Chuck Waldron changea toutes les serrures du neuvième étage pour retarder aussi longtemps que possible la découverte du départ de Hughes.

Pendant que Margulis faisait le service d'un Hughes disparu, Stewart et trois autres, Eric Bundy, Norm Love et Fred Jayka nettoyaient la petite chambre du milliardaire.

— C'était... eh bien, c'était épouvantable, dit Stewart. Pas une femme de chambre n'était entrée dans la pièce depuis quatre ans et on ne l'avait ni époussetée, ni passée à l'aspirateur.

Stewart déteste visiblement évoquer ces souvenirs pénibles.

Il avait à évacuer les bouteilles d'analgésiques vides. Elles étaient empilées sur une large étagère, en haut du grand placard attenant à la chambre, et, quand Stewart ouvrit la porte, il fut stupéfait :

— Il y en avait bien une centaine ; je ne les ai pas comptées, mais elles étaient empilées les unes sur les autres et montaient presque jusqu'au plafond.

Les premières instructions données à Stewart étaient de les mettre dans un sac de jute, de les casser à coups de marteau et d'aller enterrer le sac loin dans le désert. Puis on lui dit d'emballer les bouteilles dans des cartons et de les apporter à Romaine.

— Ma femme m'a servi de chauffeur de Las Vegas à Los Angeles. J'ai remis les bouteilles vides à l'équipe de Romaine. Je ne sais pas pourquoi ils les voulaient et je ne le leur ai pas demandé.

Les trois autres s'occupaient d'un secret encore plus sombre : depuis des années, Hughes urinait dans un grand vase à col large, allongé sur sa chaise longue. Ses reins fonctionnaient mal depuis longtemps (ils allaient cesser de fonctionner à Acapulco, et ainsi causer sa mort). Il mettait des heures à se soulager et était trop faible pour rester assis dans la salle de bains si longtemps. Au lieu de vider les vases, on les refermait et on les rangeait dans un coin. Les employés durent donc vider les flacons d'urine accumulés pendant trois ans, puis les laver et les briser. L'un deux dut s'arrêter plusieurs fois pour aller vomir dans la salle de bains la plus proche.

Quand ils eurent fini et que Stewart se fut débarrassé des bouteilles de médicament vides, l'équipe de nettoyage du Desert Inn vint terminer le travail.

Elle prit les vieux rideaux, une partie des draps et des serviettes de toilette et les brûla. Il fallut désodoriser la chambre.

Quelques-uns des employés de l'équipe d'entretien racontèrent à leurs amis des histoires ahurissantes, en leur recommandant bien de ne pas les répéter. La rumeur se répandit bientôt que le milliardaire qui possédait le Desert Inn et la plus grande partie de Las Vegas pourrait bien être fou.

Mais il y avait déjà tellement de légendes contradictoires sur Hughes, que les gens pensèrent que ces nouvelles histoires étaient des inventions comme le reste.

Maheu en entendit parler après avoir appris le départ de Hughes, mais avant de savoir qu'il était congédié. Il savait déjà que Hughes était un peu dérangé, mais il ne connaissait pas les détails. Quand Hughes avait quitté Boston pour Las Vegas en 1966, Maheu savait que deux assistants avaient dû nettoyer sa chambre au Copley-Plaza. Ces nouvelles histoires l'amenèrent à penser, à tort, que Hughes avait complètement cessé de s'occuper de ses affaires et que d'autres le faisaient à sa place.

Aussi, quand on lui dit, une semaine plus tard, que Hughes l'avait mis à la porte, Maheu ne le crut-il pas. Son raisonnement et ses conclusions étaient en fait logiques : quelqu'un d'autre que Hughes avait donné cet ordre.

— La dernière fois que je lui ai parlé, rien dans la conversation n'avait pu me faire penser que j'étais en disgrâce. Hughes m'avait assuré, à de nombreuses reprises, que je travaillerais avec lui le reste de sa vie et m'avait dit de ne pas laisser les gens de Romaine, ni ceux de Houston, «élever des barrières entre nous». J'avais plusieurs projets en instance. Et puis enfin, j'étais le directeur général de Hughes. Si quelqu'un devait me mettre à la porte, c'était lui. Un simple coup de téléphone aurait suffi. S'il m'avait appelé en me disant : «Bob, nous avons fait un bout de chemin ensemble, maintenant il est temps de nous séparer, je vais vous remplacer», je lui aurais dit adieu et j'aurais tourné les talons. Je ne pouvais pas croire que mon ex-patron ne voulait même pas prendre un téléphone pour me donner mon congé lui-même.

Maheu dit la même chose aux journalistes :

— Si j'ai été flanqué à la porte, devait-il leur dire, que

Howard Hughes me le dise lui-même.

Hughes ne le fit jamais. Comme Noach Dietrich, Maheu ne devait plus jamais parler à son ex-employeur.

8

L'ESCROQUERIE DE CLIFFORD IRVING

À l'hôtel Britannia Beach, les consignes de sécurité étaient encore plus strictes qu'au Desert Inn. Hughes et son escorte n'occupaient que la moitié de l'étage supérieur : il fallut faire construire une cloison pour isoler leur suite. La garde fut doublée : un homme armé auprès de l'ascenseur pour s'assurer que l'arrivant avait bien accès à l'étage et un autre *derrière* la la cloison pour surveiller les allées et venues. Derrière le deuxième garde, il y avait une deuxième cloison pour que, comme au Desert Inn, il ne puisse voir ce qui se passait à l'intérieur de la suite.

Quatre écrans de télévision en circuit fermé permettaient à ce deuxième garde de surveiller le hall, le toit, la façade et l'arrière de l'hôtel. Sur le toit, il y avait encore un autre garde accompagné d'un énorme berger allemand.

Le docteur Chaffin et Mell Stewart profitèrent de ce déplacement à Nassau pour obliger Hughes à quitter la chaise longue dans laquelle il vivait et dormait depuis des années. Ses escarres laissaient maintenant voir l'os scapulaire. Hughes accepta, après beaucoup d'hésitation d'essayer de dormir dans un lit et de laisser le docteur et Stewart nettoyer et panser ses escarres. Elles étaient si anciennes et si profondes qu'elles ne guérirent jamais complètement.

On installa Hughes sur un lit d'hôpital automatique qu'il pouvait manoeuvrer tout seul : il pouvait le redresser pour s'asseoir ou le remettre à l'horizontale en appuyant simplement sur des boutons. Les assistants n'avaient pas été autorisés à tout bonnement installer le lit dans la chambre, et Hughes dans le lit : il avait fallu que Hughes choisisse lui-même la place du lit, en détermine exactement l'alignement et fasse marquer la place des pieds sur le plancher avec du ruban adhésif.

L'observance de certains rites posa quelques problèmes d'intendance : il fallut s'assurer un approvisionnement régulier d'eau minérale Poland. Hughes était le touriste américain type : « À l'étranger, ne buvez jamais l'eau du robinet ! » Il n'avait d'ailleurs pas confiance en l'eau du robinet dans son propre pays ; depuis plus de vingt ans, il ne buvait que de l'eau en bouteilles et exigeait qu'on utilise de l'eau en bouteilles pour la préparation de ses repas. Ça devait être de l'eau Poland, en bouteilles de quatre litres, embouteillée à la première usine de la société, dans le Maine. Il l'aimait glacée, presque au point de congélation. Il ne buvait jamais dans un verre, il exigeait un gobelet en mousse de plastique qu'il jetait après usage. De temps en temps, il demandait si son eau était *réellement* de l'eau Poland ; une fois, il fallut même le transporter jusqu'à la réserve pour qu'il s'assure qu'il y en avait une quantité suffisante !

Il se méfiait, on ne sait pourquoi, des petites bouteilles d'eau Poland. Le concessionnaire de Las Vegas raconte qu'un jour il se trouvait à court de bouteilles de quatre litres ; il livra des bouteilles d'un litre qui lui furent retournées avec interdiction formelle, à l'avenir, de livrer à Hughes des bouteilles d'un litre.

— J'ai dû retourner ciel et terre pour me faire envoyer des grosses bouteilles... Je n'ai jamais réussi à comprendre le pourquoi de cette exigence : car enfin, c'est la même eau !

Hughes refusa également de boire le lait des Bahamas. Seul le lait embouteillé en Floride était acceptable. Par chance, ses hommes trouvèrent à Nassau une épicerie qui vendait du lait de Floride, ce qui leur épargna d'établir un pont aérien pour se le procurer.

Quand le travail de nettoyage fut achevé du Desert Inn, le reste de l'escorte de Hughes rallia Paradise Island.

Hughes passa quinze mois au Britannia Beach. Le séjour aux Bahamas commença très mal et faillit se terminer en désastre.

Le 4 décembre 1970, deux jours après la parution dans le *Vegas Sun* d'un article avec une manchette sur cinq colonnes : *Howard Hughes disparu*, Hughes donna le feu vert à l'opération-congédiement de Maheu. Leval Myler téléphona à sa femme, restée à Las Vegas, et lui dit de prendre la procuration dans leur coffre et de la faire parvenir à Chester Davis.

Davis appela un ami de Maheu, Edward Morgan, avocat à Washington, et le convoqua à un bref entretien au Century Plaza à Los Angeles. Il apprit à Morgan que Maheu était rayé de la liste des effectifs et qu'il avait jusqu'au coucher du soleil pour démissionner, après quoi il serait congédié.

Morgan partit pour Las Vegas, mais Davis n'attendit pas la réponse. Il partit lui aussi pour Las Vegas dans un avion nolisé, et s'installa au dernier étage du Sands. Ayant entendu dire que Las Vegas était truffé de micros et d'écoutes téléphoniques, il adressa au microphone, qu'il imaginait dans le plafond, un message destiné à Maheu.

— Si tu es là-haut, mon salaud, tu vas te retrouver en taule !

Au lieu d'aller en prison, Maheu alla devant les tribunaux. Pendant qu'il essayait vainement de joindre Hughes au téléphone, il fut informé par les gérants des casinos de Hughes que les forces Davis-Gay mettaient des hommes nouveaux aux caisses pour contrôler l'argent et les livres. Les caisses sont le saint des saints des casinos : elles contiennent les jetons et les plaques, tout le bel argent que les touristes essayent de gagner, et les « marques » — chèques et reconnaissances de dettes — de ceux qui ont tenté la chance et à qui elle n'a pas souri. La loi du Nevada interdit l'entrée des caisses à toute personne non autorisée par le propriétaire et non assermentée par la Commission de contrôle des jeux.

— Tout à coup, un essaim de petits hommes de la planète Mars envahit les caisses ; j'ai consulté Tom Bell, l'avocat personnel de Hughes : il confirma qu'une irrégularité aussi grave pourrait amener les autorités à révoquer le permis de jeux des casinos.

— « Petits hommes de la planète Mars » était joli, dit plus tard un collègue, ami de Davis, mais un peu exagéré pour désigner des comptables de la société Haskin-Sells, et des agents de sécurité d'Intertel.

Quels qu'ils fussent, leur opération sur les caisses était irrégulière. Un juge de Las Vegas accorda à Maheu une injonction pour faire quitter les casinos aux forces Davis-Gay.

Le « règlement de comptes à Hughes-Corval » était en vain ; le combat de Las Vegas mobilisa des dizaines de journalistes et, à la mi-décembre, Hughes défrayait la chronique dans tout le pays. Son départ, si secret, si réussi et silencieux, se transforma en un énorme « happening » journalistique. S'il avait voulu en faire un coup de publicité, Hughes n'aurait pas mieux fait en quittant le Desert Inn sur le coup de midi, à la tête d'une fanfare.

Maheu gagna les premiers rounds en mettant en doute l'authenticité de la signature figurant au bas de la délégation de pouvoirs excipée par le tandem Davis-Gay. Ce n'était pas une pure vue de l'esprit : Maheu savait que plusieurs des assistants de Hughes imitaient très bien sa signature, et dans le procès de la T.W.A., au moins un document portant la signature de Hughes avait été déclaré faux.

L'équipe Davis-Gay riposta en organisant une conversation téléphonique entre Hughes et le gouverneur Laxalt. Il était quatre heures trente du matin aux Bahamas, une heure trente à Las Vegas. Hughes dit qu'il soutenait entièrement Davis et Gay. Il expliqua qu'il « prenait des vacances » et promit qu'il reviendrait à Las Vegas y vivre le reste de ses jours. Il avait encore cinq années à vivre, mais il ne revint jamais à Las Vegas.

Hughes fit suivre son coup de téléphone d'une lettre qui commençait : « Chers Chester et Bill », et exprimait ses regrets que Maheu n'ait pu être limogé sans remous et sans « nuisible publicité ». Elle autorisait le tandem à « prendre toutes les mesures nécessaires pour mettre un terme aux relations avec Maheu » et demandait un « bilan immédiat » de tous les fonds contrôlés par lui.

Le tribunal se déjugea, enlevant à Maheu toute autorité sur les affaires de Hughes au Nevada. Fort de sa victoire, le groupe Davis-Gay pria Maheu d'évacuer sa villa, et entreprit les démarches nécessaires au transfert, aux noms de ses membres, des permis de jeux des casinos.

La révolution de palais était terminée, Maheu était vaincu, Davis et Gay vainqueurs. Ils fêtèrent leur victoire au Sands. Chester Davis leva son scotch en riant aux éclats. Bill Gay sirota son verre en souriant.

Les ennuis, eux, n'étaient pas finis, ils ne faisaient, au contraire, que commencer.

La Machinerie du Secret avait trop bien fonctionné. En protégeant pendant plus de dix ans l'invisibilité de Hughes, elle en avait fait l'ombre de lui-même et lui avait ôté toute crédibilité. Un juge avait pu se satisfaire d'un coup de téléphone donné à une heure trente du matin et d'une lettre, comme preuve que Hughes était le propriétaire bien vivant de sept casinos, mais il fut à peu près le seul.

Las Vegas est, par nature, une ville soupçonneuse et nerveuse : il y a toujours quelqu'un qui essaie de glisser ses propres dés dans un jeu de passe anglaise, ou de mettre le ponte de son côté. Un vieux dicton prétend que tout habitant de Las Vegas qui serre la main d'un étranger compte ses doigts aussitôt après. Hughes n'était pas seulement un étranger, mais le plus étrange étranger jamais arrivé dans la ville. Les autres propriétaires de casinos se montraient dans leurs salles de jeux, tapaient sur l'épaule de leurs employés, payaient un verre aux bons clients et riaient à leurs plaisanteries. Hughes avait plus de six mille employés ; personne ne l'avait vu arriver ; il avait acheté les établissements où ils travaillaient, et il était reparti, toujours sans qu'on le vit, agiter la main, en signe d'adieu, du neuvième étage de son hôtel. Maintenant, Bob Maheu avait été liquidé sur la foi d'un morceau de papier portant le nom de Hughes, le tandem Davis-Gay rayait des dizaines de noms de la feuille de paye... Qui était à l'abri ? Pourquoi leur employeur avait-il disparu ?

Le nouveau gouverneur, Mike O'Callaghan, entra en fonction au plus fort du scandale. La nouvelle Commission de contrôle des jeux refusa d'entériner le plan Davis-Gay de réorganisation des casinos, ou d'accorder à Chester Davis la permission d'agir au nom de Hughes. Le nouveau président dit qu'à son avis Hughes devrait assister en personne à une réunion avec la Commission des jeux et examiner les problèmes avec elle.

Les avocats de Hughes produisirent une autre lettre, qu'ils dirent avoir été écrite par lui, et dans laquelle il déclarait que les propositions de Davis et Gay avaient son approbation pleine et entière. Ils proposèrent au gouverneur O'Callaghan que Hughes lui téléphone *en personne* des Bahamas.

O'Callaghan refusa de parler au téléphone à un homme invisible :

— Je refuse de jouer à ce jeu du téléphone et des lettres. Je n'ai aucune preuve de son authenticité et je commence à en avoir plein le dos de toutes ces intrigues. Tout le monde dit que Hughes est en parfaite santé, mais on ajoute toujours que cela le traumatiserait de voir quelqu'un de chez nous. Qu'est-ce qu'il y a de si traumatisant à rencontrer quelqu'un?

La question était judicieuse ; elle n'obtint jamais de réponse. C'était le secret des secrets, les gens qui le gardaient n'allaient pas le divulguer parce qu'un simple gouverneur d'État commençait à s'impatienter.

Le bruit que fit la chute de Maheu eut quelques retombées lamentables du point de vue de Hughes. Au cours du procès qui avait pour enjeu l'authenticité de la procuration, Levar Myler dut comparaître à Las Vegas pour témoigner qu'il avait assisté à la signature du document par son patron.

Le contre-interrogatoire révéla, malgré les objections répétées des avocats de Hughes, bien des détails sur la façon dont cette procuration avait été préparée, transmise et cachée. Myler quitta la barre tout en sueur, et peu après, un ordre formel arriva du Britannia Beach : aucun membre de l'équipe personnelle de Hughes ne devait se rendre dans l'État du Nevada. Hughes ne voulait plus que l'on ait à témoigner sous serment sur la façon dont il gérait ses affaires. Il voulait que l'on suive la règle qui lui avait si bien réussi personnellement : éviter de paraître devant un tribunal. Ce fut pénible pour ceux dont la famille résidait à Las Vegas : ils ne pouvaient plus rentrer chez eux quand ils n'étaient pas de service.

— Ça n'était déjà pas très drôle dans les conditions normales, dit Pat Margulis, la femme de Gordon. Toutes les épouses de membres de l'équipe de Hughes devaient déjà s'accommoder de « maris à temps partiel ». Mais quand on leur a interdit de revenir au Nevada, nous ne voyions plus nos maris du tout...

...Il n'était pas question que j'accepte cet état de choses. J'ai fermé la maison et suis allée m'installer au sud de la Californie pour que Gordon puisse venir nous voir, mon fils et moi, chaque fois qu'il aurait du temps libre. Quelques autres épouses quittèrent aussi le Nevada pour pouvoir voir leur mari de temps en temps. Quand j'ai eu l'impression qu'ils allaient rester un bon bout de temps aux Bahamas, j'ai pris notre petit garçon et je suis allée m'installer là-bas. Ça n'a pas plu aux assistants de Hughes, mais ça m'était bien égal...

...Les loyers, à Nassau et dans les environs, étaient effroyablement élevés : je n'ai pu louer qu'une très petite maison. Mais nous avions, au moins, un semblant de vie de famille.

Si vous n'étiez pas des leurs, les dirigeants voyaient plutôt les familles d'un mauvais oeil. Monsieur Gay avait une suite pour lui et ses amis à l'hôtel Emerald Beach, à Nassau. Monsieur Davis y avait loué un yacht dont sa femme et un capitaine s'occupaient. Mais pour des hommes comme Gordon... on ne pouvait pas appeler ça une vie de pacha.

Au début de l'été 1971, quelques-uns des assistants tentèrent de monter leur propre affaire ; c'était audacieux de leur part. Hughes n'aimait pas que ses assistants ou ses directeurs dispersent leur temps et leur attention dans des entreprises extérieures. Il pensait, en outre, que si des gens connus pour être ses proches se lançaient dans les affaires, on pourrait croire qu'il était derrière eux, et il s'opposait absolument à ce qu'on utilise son nom.

Mais quand Howard Eckersley essuya un fiasco retentissant dans une affaire de prospection minière, il n'en dit rien à Hughes. Ses assistants contrôlaient si étroitement les informations qui lui parvenaient que le milliardaire ignora tout de ce scandale pendant plus d'un an ; cet épisode donne une image exacte de l'isolement de Hughes après qu'il eut quitté Las Vegas. L'affaire Eckersley fit l'objet de beaucoup d'articles. *Las Vegas Sun* publia le premier, suivi par le *Times* de Los Angeles, le *New York Times*, le *Wall Street Journal*, *Playboy*, et par la presse canadienne ; la C.B.C. lui consacra un documentaire d'une heure.

Tous les directeurs de Hughes, à Houston et à Encino, étaient au courant ; ses chargés de relations publiques aussi ; le public en entendit parler, mais pas le milliardaire.

Après le départ de Las Vegas, les assistants mirent fin à l'habitude que Mell Stewart avait prise de découper des articles de journaux pour Hughes. On recevait très mal la télévision aux Bahamas, et le milliardaire cessa de la regarder. Il ne pouvait, ni ne voulait, descendre dans le hall de l'hôtel chercher lui-même les journaux. Ce qu'il savait du monde extérieur à sa petite chambre se bornait à ce que ses assistants voulaient bien qu'il sache.

L'affaire d'Eckersley était une petite société minière, la Pan American Mines Limited, dont il était le président. C'était une jeune société qui prétendait posséder de riches gisements de cuivre et d'uranium en Arizona. Les actions étaient cotées à la Bourse de Montréal, qui est connue pour lancer des actions hautement spéculatives.

L'appel à la souscription publique, fait au nom d'Eckersley, président de la société, mentionnait plusieurs fois le nom de Howard Hughes, présentait Eckersley comme le « Directeur de l'équipe personnelle de Howard Hughes » et lui donnait comme adresse : « aux soins de Howard Hughes » au Britannia Beach. Levar Myler, George Francom et Kay Glenn y étaient cités comme détenteurs de parts, Myler et Francom avec le titre de « cadres supérieurs de la Hughes Tool Co. » et Glen celui de « directeur général de la Hughes Productions Co. »

Le premier communiqué de presse de la nouvelle société portait en gros titre : « Des directeurs de Howard Hughes reçoivent l'accord de la C.S.Q. (Commission de sécurités du Québec) ». Le chargé de relations publiques qui l'écrivit devait dire plus tard :

— Comme tout le monde, j'ai été hypnotisé par le nom de Howard Hughes. J'ai toujours cru, et on n'a rien fait pour m'empêcher de le croire, que celui-ci était impliqué d'une façon ou d'une autre.

C'est ce que pensèrent les journaux et les investisseurs canadiens. *La Gazette* de Montréal titrait : « *Les intérêts Hughes pénètrent les frontières du Québec* ». Suivait un entrefilet : « Des émissaires de l'énigmatique et mystérieux Howard Hughes se sont entretenus avec des personnalités boursières et des représentants du gouvernement du Québec de sujets en rapport avec l'intérêt qu'ils manifestent à une participation à l'exploitation des ressources naturelles de la province. »

Les investisseurs canadiens pensèrent que Hughes, ayant fuit le Nevada, se tournait vers le Nord pour y répandre ses richesses. Quand les actions de la Pan American Mines furent offertes sur le marché, l'action monta rapidement de un à cinq dollars, puis bondit à douze. En quatre mois, 972.999 parts furent vendues.

À la suite de l'utilisation qui avait été faite du nom de Hughes dans le lancement des actions, des journalistes s'en furent interroger des représentants des intérêts Hughes. Ceux-ci appelèrent le nouveau quartier général de Hughes, aux Bahamas ; ils eurent, au bout du fil, non Howard Hughes mais Howard Eckersley. D'une série de discussions longues et parfois acides, il sortit un bref communiqué aux assistants où il était précisé que « ni la Hughes Tool Co. ni Howard Hughes n'ont aucun intérêt dans l'affaire ; il s'agit d'un investissement personnel et indépendant qui a reçu l'approbation de Hughes Tool ».

Des mois plus tard, on apprit que ce communiqué n'avait pas été porté à l'attention de Hughes. « La Hughes Tool » approuvait maintenant des projets dont son propriétaire n'avait pas connaisance.

Sinon qu'elle laissait derrière elle le parfum délicieux — et fictif ! — des millions de Howard Hughes, la Pan American Mines était une petite compagnie assez crottée. Au moment où les actions furent lancées en bourse, il y avait quinze dollars dans le tiroir-caisse. Elle avait ses « bureaux directoriaux » à Phoenix, dans les trois petites pièces donnant sur une ruelle derrière une modeste agence immobilière. Le vice-président de la société était un vieil ami d'Eckersley, Floyd Bleak, qui exploitait, à Flagstaff, une sablière en instance de faillite. Pan American Mines n'avait aucune mine en cours d'exploitation. L'appel à la souscription publique prétendait que la société avait obtenu un prêt de un million de dollars d'une compagnie d'assurances de Phoenix, pour la construction d'une usine de minerai. Vérification faite, on découvrit que la compagnie d'assurances disposait d'un actif inférieur à cent quatre-vingt-dix mille dollars.

Quand ces faits troublants furent connus au Canada, le gouvernement ordonna une enquête qui secoua le Canadian Stock Exchange. La vente des actions de la Pan American Mines fut suspendue, le président de la Bourse fut démis de ses fonctions, et la maison de courtage qui avait garanti l'émission des titres dut cesser son activité. Au summum du scandale, le président de la C.S.Q. s'envola pour l'Italie d'où il câbla sa démission.

Eckersley dut finalement informer son employeur du désastre de la Pan American Mines quand, un an après l'émission des actions, un mandat d'amener canadien fut établi à son nom pour le faire apparaître au procès.

— Le Vieux explosa littéralement, dit un de ses hommes.

Peu de temps après, John Holmes fut promu chef des assistants, et Eckersley, rétrogradé. Finalement, les charges contre Eckersley au Canada ne furent pas retenues, mais deux des promoteurs furent convaincus de fraude. Finalement, les perdants de l'affaire furent les investisseurs qui avaient acheté 972.999 actions de la Pan American Mines.

Tandis que se dégonflait la baudruche d'Eckersley, un autre ballon était en train d'enfler, c'était l'escroquerie d'Irving ; l'affaire, cette fois, touchait Hughes beaucoup plus intimement et il en fut parfaitement informé.

L'escroquerie eut son origine dans le congédiement de Maheu. C'est à Ibaza que Clifford Irving lut dans *Neewsweek* un article sur le règlement de comptes du Nevada. Irving était un romancier new-yorkais expatrié qui en avait assez du roman qu'il était en train d'écrire, assez de sa quatrième femme, Edith, une artiste d'origine allemande et qui avait envie qu'il lui arrive quelque chose de neuf et d'excitant.

Comme le gouverneur O'Callaghan, il avait compris que les manoeuvres de la Machinerie du Secret n'avaient absolument aucun sens si Hughes était en pleine santé et capable de s'occuper de ses affaires. Irving ne savait pas ce que cachait la Machinerie, mais savait sûrement que l'état de Hughes était chronique, pitoyable ou repoussant. Quoi que cela puisse être, Irving y vit l'occasion de s'amuser un peu et de gagner un peu d'argent.

Il conçut l'invraisemblable projet d'écrire une fausse vie de Hughes et de la faire passer pour vraie. Il était arrivé à la certitude que Hughes ne pourrait pas la désavouer, soit qu'il fût mort, soit qu'il fût réduit à l'état de légume, ou trop délabré pour paraître en public.

L'article de *Newsweek* était illustré d'une photo d'un fragment de la lettre « cher Chester, cher Bill » écrite de la main de Hughes. Irving étudia soigneusement l'échantillon et s'appliqua à imiter l'écriture de Hughes. Puis il écrivit de fausses lettres de Hughes adressées à lui, dont le chef-d'oeuvre était celle dans laquelle Hughes jouait avec l'idée que Irving était peut-être l'écrivain à qui devrait être confié le soin d'écrire sa biographie officielle.

Irving fit passer ces lettres sous les yeux de son éditeur new-yorkais, McGraw-Hill, qui donna dans le panneau. McGraw-Hill avait publié plusieurs livres de Irving, lui avait signé un contrat pour des livres à venir, et lui fit confiance quand il offrit d'écrire ce qui semblait assuré du succès. Irving coupa aux vérifications qu'aurait normalement subies un projet de cette nature, en l'enveloppant dans un secret du plus pur style Hughes : seule la haute direction de McGraw-Hill devait être au courant, et lui-même, Irving, devait être son seul intermédiaire avec Hughes.

Il écrivit une lettre de Hughes approuvant le projet, dans laquelle il faisait dire au milliardaire qu'il « ne voulait pas la moindre publicité... pour le moment » et qu'il « verrait d'un très mauvais oeil toute entorse à cette règle ».

L'accord final stipulait que Hughes recevrait de McGraw-Hill — par l'intermédiaire de Irving — cinq cent mille dollars, à verser à « n'importe quel compte de H.R. Hughes » ; cent mille dollars d'avance, cent mille à la fin des recherches préliminaires, et trois cent mille une fois le manuscrit remis et accepté. Le secret était si bien gardé que le contrat ne mentionnait même pas Hughes par son nom : il était « Senor Octavio ».

Aidé d'un complice, Richard Suskind, Irving produisit en huit mois un manuscrit de deux cent trente mille mots. Un coup de chance incroyable leur mit entre les mains le premier jet des mémoires inédits de Noah Dietrich, écrits par l'auteur du présent ouvrage. Le manuscrit de Dietrich fut remis, discrètement, à Irving par Stanley Meyer, producteur hollywoodien malchanceux que l'écrivain avait connu à Hollywood longtemps auparavant. Meyer faisait semblant de chercher acheteur pour les mémoires de Dietrich alors qu'en réalité il les refilait à Greg Bautzer, l'avocat personnel de Hughes.

Les mémoires donnèrent à Irving l'armature de faits réels sur laquelle draper un Hughes qui n'existait que dans sa prodigieuse imagination. Hughes, dans sa « vie » par Irving, rendait visite à Hemingway à Cuba, par exemple, et se baignait nu dans les eaux des Caraïbes avec le romancier. (Hemingway n'intéressait pas Hughes, qui ne lisait pas de romans.) Hughes rencontrait le Dr Schweitzer en Afrique, et se montrait indigné par le «racisme» du bon docteur (alors que Hughes aurait volontiers sympathisé avec ce préjugé... fictif). Hughes «révélait» lui-même son prêt de deux cent cinq mille dollars à Donald Nixon, en en faisant parvenir anonymement le récit à Drew Pearson, alors qu'en fait Hughes utilisa en vain toutes les ressources de sa Machinerie du Secret pour étouffer l'affaire.

Après qu'il se fut procuré les mémoires de Dietrich, Irving transforma la biographie «officielle» en «autobiographie» et augmenta son prix de cinq cent mille à sept cent cinquante mille dollars. McGraw-Hill se laissa faire et annonça, le 7 décembre 1971, la publication de la vie de Hughes «par lui-même», accompagnée de «commentaires de Clifford Irving».

C'est maintenant que les années de mensonges, de manipulation et de secrets dont s'était entouré le milliardaire allaient porter tous leurs fruits : ni ses porte-parole ni Hughes lui-même ne purent «descendre en flammes» ce livre pourtant si évidemment apocryphe. Le représentant de la Hughes Tool Co., le premier, désavoua le livre. La direction de McGraw-Hill et celle de *Life* (qui avait payé deux cent cinquante mille dollars le droit de condenser le faux d'Irving se contentèrent de hausser les épaules : il était normal que les directeurs de la Hughes Tool Co. désavouent l'autobiographie ; Hughes ne les avait pas mis dans le secret.

Puis Hughes lui-même téléphona à Frank McCulloch, de *Time*, le dernier journaliste à l'avoir interviewé en personne, en 1958. Hughes convainquit McCulloch que c'était vraiment lui qui parlait, mais il ne put le convaincre que le livre de Irving était un faux. McCulloch était beaucoup plus impressionné par les conclusions de deux firmes d'experts en écritures qui affirmaient que les fausses lettres de Hughes à Irving étaient authentiques.

Finalement, Hughes organisa une interview téléphonique avec sept journalistes qui l'avaient tous connu bien longtemps auparavant. Il établit son identité auprès des sept journalistes ; il leur dit que le livre de Irving n'était qu'un faux, qu'il n'avait jamais vu cet homme et ne lui avait jamais parlé. Son désaveu «fit la une» de tous les journaux des États-Unis.

L'interview eut lieu, du côté de Hughes, au téléphone du Bureau de ses assistants, à l'hôtel Britannia Beach. Il est significatif qu'il n'ait dénoncé publiquement le faux de Irving que le 7 janvier 1972, un mois plein après l'annonce de sa publication. Son long silence compromit sa crédibilité quand il se décida enfin à parler.

Tout autre homme d'affaires américain qui aurait été victime d'une telle escroquerie l'aurait dénoncée sur l'heure. Mais la santé de Hughes était irrégulière ; à une longue suite de mauvais jours succédait un mieux, lui-même suivi d'une rechute. Il fallait aussi qu'il se prépare psychologiquement : il n'avait pas affronté le monde extérieur, sinon par téléphone, depuis si longtemps !

Rétrospectivement, les moments les plus intéressants de son interview sont ceux où il parle de sa santé et de sa condition physique en général ; s'il avait d'autres faiblesses, c'était toujours un maître de l'échappatoire.

— Je me maintiens dans une forme passable, répondit-il suavement à une question sur sa condition physique. Pas la grande forme, pas aussi bonne que je le devrais... mais il n'y a rien de péjoratif... non, ce n'est pas le mot.

Quel est le mot, déja? Il n'y a pas de diminution... non, ce n'est pas ça non plus.

Des disciples de Freud ne manqueraient pas de trouver ces lapsus significatifs : que les premiers mots qu'il ait utilisés pour tenter de se décrire soient «péjoratif» et «diminution». Il finit par trouver un mot plus approprié :

— Il n'y a pas de déficience sérieuse... ah voilà le mot. Mon état ne présente pas de déficience sérieuse.

Il se moqua des histoires qui circulaient sur la longueur de ses ongles :

— J'ai toujours eu les ongles d'une longueur raisonnable, dit-il avec quelque indignation. Je me sers d'une pince et non de ciseaux et d'une lime à ongles comme certains... J'en prends soin, de mes ongles, comme je l'ai toujours fait, comme je le faisais quand je faisais le tour du monde, et les fois où vous m'avez vu, et lorsque j'ai piloté l'hydravion géant, et en toutes les occasions que j'ai eues de rencontrer la presse. Je m'occupe de mes ongles aujourd'hui, exactement comme je l'ai fait toute ma vie.

Il dévoila ses projets d'avenir, tous illusoires sauf un : il allait revenir à Las Vegas, il accorderait bientôt des interviews en personne, il allait se faire photographier et ferait remettre des clichés à la presse. Les photos seraient vite prêtes et dissiperaient tous les racontars sur sa santé. Un an plus tard, alors qu'on lui demandait ce qu'étaient devenues les photos, le porte-parole de Hughes, Hannah, répliqua sèchement :

— Il les donnera quand il le voudra bien.

Il allait se remettre à piloter. Absolument.

— Ça serait ce qu'il y aurait de mieux pour moi, dit-il. Je n'ai pas fait qu'y songer ; j'y suis fermement décidé. Je pense que c'est ce qui pourrait me faire le plus de bien, parce que... c'est vraiment quelque chose que j'aime faire... par rapport à quelque chose que je n'aime pas.

Mais même cette interview au téléphone, sans précédent, ne réussit pas à déconsidérer Irving. Comme une équipe de journalistes du *Times* de Londres l'écrivait dans *Hoax*, livre consacré à l'escroquerie de Irving, « Howard Hughes était le seul homme au monde à pouvoir, par le désaveu public et formel de l'authenticité de son autobiographie, convaincre un sceptique qu'elle était en fait authentique ».

Pour une bonne partie du public, la dénonciation par Hughes de l'abus de confiance de Irving soulevait plus de questions qu'elle ne fournissait de réponses. Il s'ensuivit des débats passionnés sur la question de savoir si la voix entendue au téléphone du Britannia Beach était bien celle de Hughes. Irving encourageait ceux qui pensaient que non :

— À mon avis, disait-il, c'était une bonne imitation de la voix qu'il devait avoir il y a trois ou quatre ans.

Il déclara que le Hughes entendu au téléphone n'était pas *son* Hughes : sans doute l'une des rares pépites de vérité dans le torrent de ses déclarations.

Irving fut finalement démasqué par les journalistes au début de 1972 : ils détruisirent les fondements de l'histoire qu'il avait racontée pour expliquer comment il avait assemblé les matériaux de « l'autobiographie ». Les journalistes reçurent l'aide de l'inconstante baronne Nina van Pallandt, chanteuse danoise qui accompagnait Irving à Mexico où il prétendait aller pour inteviewer Hughes :

— Il n'a pas pu interviewer Hughes, s'insurgea-t-elle, il était tout le temps avec moi !

Des agents d'Intertel démontrèrent que les chèques de McGraw-Hill établis au nom de H.R. Hughes avaient été déposés dans une banque suisse par une certaine Helga R. Hughes, qui n'était autre qu'Édith, la femme de Irving. McGraw-Hill et *Time-Life* finirent par reconnaître que le livre était faux après que l'auteur du présent ouvrage eut établi qu'entre le manuscrit de Irving et les mémoires de Dietrich... il y avait toute une série de ressemblances, dont certaines frisaient le plagiat.

Gordon Margulis raconte que Hughes était beaucoup moins choqué par l'exploit de Irving que ne l'étaient, aux États-Unis, ses hommes de loi et ses directeurs.

— Il m'a souvent dit qu'il n'en voulait pas tellement à Clifford Irving. « Après tout, disait-il, ce n'est pas mon argent qu'il a escroqué. »

Davis et Gay avaient leurs propres raisons d'être irrités par la supercherie de Irving. Celui-ci soutenait avoir rencontré Hughes « dans des chambres de motels ou dans des voitures, un peu partout en Occident », pendant la période même où Hughes refusait d'assister à une réunion avec les autorités du Nevada pour régulariser la gestion de ses casinos. Celles-ci, déjà irritées par les atermoiements de Hughes, s'étaient jugées offensées. L'écrasement de Irving, quand enfin il survint, ne consola guère Davis et Gay. Ils s'étaient persuadés, parce qu'ils auraient aimé que ce fut vrai, que Robert Maheu se cachait derrière Clifford Irving; Maheu fut convoqué à New York devant un jury qui voulait l'interroger. Maheu déclara qu'il ne savait absolument rien sur l'escroquerie de Irving.

— Pour les auteurs de *Hoax*, ils (Davis et Gay) ne pouvaient croire que Maheu, leur ennemi juré, n'avait rien à voir à l'affaire. Leur déception, quand il ne fut pas convoqué au procès, est comparable à celle du lecteur acharné de James Bond qui, arrivé aux dernières pages du dernier Ian Fleming, doit se rendre à l'évidence qu'Ernst Blofeld n'apparaîtra pas.

S'il avait su ce qu'il allait déclencher, Hughes aurait certainement renoncé à organiser l'interview téléphonique de 1972. De toute façon, la presse aurait fini par révéler l'escroquerie de Irving, alors que l'interview eut deux conséquences que personne n'avait prévues :

Maheu intenta un procès en diffamation qu'il gagna et qui lui rapporta deux millions huit cent mille dollars. En second lieu, la publicité faite autour de Hughes attira l'attention des autorités des Bahamas sur leur hôte le plus connu, mais le moins visible, et Hughes eut affaire à une bureaucratie qui, elle exigeait une réponse aux questions qu'elle posait.

9

LA FUITE

Si l'une des personnes qui, en cet après-midi ensoleillé du 15 février 1972, se bronzaient autour de la piscine de l'hôtel Britannia Beach avait levé les yeux vers le dernier étage, elle aurait été témoin d'un spectacle insolite : l'homme le plus riche des États-Unis emmené en toute hâte, sur une civière portée par trois hommes par l'escalier de secours extérieur de l'hôtel.

Howard Hughes, propriétaire d'une compagnie aérienne internationale, seul actionnaire de la Hughes Tool Co., plus gros propriétaire de salles de jeux du Nevada, huitième plus important fournisseur du ministère de la Défense des États-Unis, fuyait les autorités d'immigration des Bahamas. Au moment même où ses hommes, affolés, l'évacuaient par l'escalier de secours, les fonctionnaires bahaméens pénétraient dans la suite qu'il venait de quitter.

Ce drame était une conséquence de l'escroquerie de Clifford Irving. Le 2 février, au moment où « l'affaire

Irving» battait son plein, l'honorable Cecil Wallace Withfield, leader noir du Parti national libre des Bahamas se leva de son siège au parlement et posa un certain nombre de questions au gouvernement; elles portaient sur la présence de Howard Hughes à l'hôtel Britannia Beach: était-il en règle avec les règlements d'immigration? Les membres de son escorte avaient-ils obtenu le permis de travail nécessaire à tout non-Bahaméen titulaire d'un emploi rémunéré aux Bahamas? Le ministre de l'Intérieur, Arthur Hannah, répondit à l'honorable député qu'il procéderait aux vérifications nécessaires et l'aviserait des résultats.

Le mépris impérial de Hughes pour les lois et les règlements qui s'appliquent aux *autres* était en partie la cause du suspense digne des *Périls de Pauline* dont il se trouvait le héros malgré lui. Il en était venu, avec les années, à se considérer comme une sorte de souverain, couvert par l'immunité diplomatique. Il avait d'ailleurs quelques excuses: quand le gouverneur du Nevada et le Président des États-Unis accommodaient ou enfreignaient la loi en sa faveur, ce n'était tout de même pas un petit État comme les Bahamas qui allait se montrer pointilleux!

Hughes n'avait même pas un passeport américain valide. Renouveler son passeport, depuis longtemps périmé, l'aurait obligé à fournir des photographies récentes; des «accommodements» avaient été obtenus: il voyageait avec un passeport périmé.

— Aucun d'entre nous n'avait de permis de travail, dit Margulis; les assistants nous avaient dit qu'«on s'en occupait» et que «nous n'avions pas à nous inquiéter».

Hughes n'avait même pas rempli de fiche d'inscription à l'hôtel où il vivait depuis quatorze mois. Si quelqu'un demandait monsieur Hughes à la réception, on lui répondait poliment que personne n'était inscrit à l'hôtel sous ce nom. Des journalistes plus insistants, qui obtinrent de jeter un coup d'oeil sur les registres de l'hôtel, purent s'assurer que c'était vrai. Le nom de Hughes n'apparaissait nulle part sur le registre ou sur les facturations.

Mais il avait fait savoir au monde entier, dans son interview téléphonique, qu'il vivait dans cet hôtel ; et le Parti national libre, le parti d'opposition, voulait s'assurer qu'il obéissait aux lois du pays. Quand il était arrivé, les légendes avaient fleuri sur les gros investissements qu'il allait faire dans les îles, mais on n'avait rien vu venir. Pour les Noirs de la base, Hughes n'était pas un atout économique, rien qu'un riche Blanc entretenu dans un hôtel de luxe.

Les questions posées par Whitfield mettaient le nouveau Premier ministre noir, Lynden Pindling, dans une situation délicate. Quelques années plus tôt, son Parti libéral progressiste, porté par une vague de mécontentement noir, avait arraché le pouvoir longtemps détenu par les « Blancs de Bay Street ». Sa victoire avait été facilitée par une série de scandales retentissants portant sur l'octroi de permis aux casinos et par le mécontentement de la majorité noire, soumise à un statut « colonial. »

Pindling était un modéré, il aurait difficilement pu passer pour l'équivalent bahaméen des Panthères noires et le Parti national libre, en demandant si Hughes avait bénéficié d'un traitement de faveur, avait touché un point politiquement sensible. Le groupe de Hughes avait « amadoué » Pindling selon sa stratégie habituelle envers les détenteurs du pouvoir ; on avait mis à sa disposition le yacht loué par Chester Davis et Pindling avait profité de l'offre à quelques reprises ; si cette amabilité avait pu lui donner meilleure opinion de Hughes, elle n'en avait qu'augmenté le ressentiment de ses adversaires politiques.

Le 14 février, un groupe de fonctionnaires de l'Immigration des Bahamas se présenta à la suite de Hughes. Il dut rebrousser chemin devant la première cloison, visiblement décontenancé mais laissant l'impression qu'il pourrait bien revenir.

Peu après, le Bureau essaya par téléphone de faire intervenir des personnages influents, mais en vain.

Vers deux heures quarante-cinq le lendemain après-midi, Howard Eckersley vint trouver Gordon Margulis dans un état de grande agitation.

— Il faut faire sortir monsieur Hughes de la suite, et sans attendre ! On vient de me dire que les Bahaméens sont en route vers l'hôtel pour rencontrer le patron en personne.

Un agent d'Intertel trouva en toute hâte une chambre au sixième étage, la seule chambre libre de l'hôtel, et la réserva au nom de quelqu'un d'autre.

— On ne pouvait pas faire quitter l'île à monsieur Hughes, même pas l'hôtel, dit Margulis. Nous n'avions pas de plan d'urgence puisque nous n'avions pas prévu d'ennuis. La seule chose à faire était de le cacher dans une autre chambre, le temps que nous trouvions un moyen de le faire partir... Le problème était de descendre Hughes jusqu'au sixième étage sans qu'on le voie, avant que les Bahaméens ne fassent irruption dans la suite. En plein jour, on ne pouvait pas le faire passer devant le garde et lui faire prendre l'ascenseur parce que celui-ci était étroitement surveillé.

Margulis rejoignit Eckersley et Chuck Waldron dans la chambre de Hughes à qui l'on avait exposé le problème et qui s'en était remis à ses hommes de trouver une solution.

— Il n'y avait plus qu'un chemin de libre : l'escalier de secours extérieur. Il était bien visible de la piscine et des jardins, mais nous n'avions guère le choix. Nous avons mis monsieur Hughes sur un brancard, nous sommes sortis de l'appartement et nous avons commencé à descendre l'escalier de secours.

Margulis dit que le milliardaire avait conservé tout son sang-froid ; il se plaignit seulement du soleil dont l'éclat lui faisait mal aux yeux.

— Après des années dans des chambres obscures, il pouvait bien se plaindre parce qu'effectivement ça devait l'éblouir, dit Margulis...

...Le patron était comme ça ; c'est drôle, il se mettait dans tous ses états pour des problèmes qui n'existaient que dans son imagination, par exemple les essais nucléaires au Nevada, mais quand il était vraiment en danger, comme à Nassau, ou au Nicaragua pendant le tremblement de terre, il était parfaitement calme. On aurait dit qu'il s'amusait...

...Je n'étais pas aussi calme que lui : je tenais l'avant de la civière, Eckersley et Waldron étaient à l'arrière. Au moment où nous commencions la descente, je me suis dit : « *Un faux pas, mon vieux, et c'est un milliard de dollars qui s'en vont* ! »

Les porteurs de la civière regardèrent en bas : personne ne semblait les avoir repérés. Au sixième étage, ils s'engouffrèrent dans l'hôtel par l'issue de secours. Ils déposèrent le milliardaire sur l'étroit palier entre l'escalier de secours et la porte du couloir. Les événements qui suivirent furent dignes d'une farce de Feydeau.

Laissant Hughes avec les deux autres, Margulis pénétra dans le couloir pour s'assurer que la voie était libre. Il raconte :

— Il y avait deux problèmes : plus loin dans le couloir, il y avait deux chariots de femmes de ménage ; pas de femmes de ménage, mais ça signifiait qu'elles étaient en train de faire une chambre et pouvaient surgir d'un moment à l'autre. De l'autre côté, du côté de la chambre où nous voulions amener Hughes, je vis que la porte de la chambre voisine était ouverte. Alors, mine de rien, je me suis dirigé vers notre chambre en jetant un coup d'oeil, au passage, dans la pièce voisine. C'était la suite de Dick Wynn, un avocat de New York, sa femme et sa fille. J'avais fait leur connaissance au tennis. Ils savaient que j'appartenais à l'entourage de Hughes et, comme tout le monde, étaient très intrigués par M. Hughes.

Madame Wynn leva les yeux, vit Margulis et sortit dans le couloir :

— Quelle bonne surprise, Gordon ! Qu'est-ce qui vous amène au sixième étage ?

Margulis inventa une histoire d'amis qui venaient d'arriver et qu'il cherchait.

— Je lui ai dit que je ne les trouvais pas et j'ai continué vers les ascenseurs, comme si je voulais quitter l'étage, après lui avoir fait un petit salut de la main. Quand j'ai regardé en arrière, elle était rentrée mais avait laissé la sapristi de porte ouverte. Je remontais le couloir sur la pointe des pieds vers où j'avais laissé le patron quand, cette fois, c'est la fille qui est sortie. Je lui ai raconté que l'ascenseur était occupé et que j'allais remonter à pied. Je lui ai fait aussi un petit signe de la main et j'ai continué le couloir, jusqu'à la sortie de secours où nous avions déposé monsieur Hughes.

« Pas commode », dit Margulis à Waldron et Eckersley. Ils étaient pris entre deux feux, les femmes de chambre d'un côté, les Wynn et leur porte ouverte de l'autre. Hughes, sans son appareil, n'entendait pas Margulis :

— Comment ça se passe, Gordon ? cria-t-il.

Il parlait beaucoup trop fort et Margulis lui fit le geste de parler plus bas.

— Il a compris tout de suite, a fait signe — un cercle avec le pouce et l'index — : O.K.

Il fallait absolument que la porte des Wynn soit fermée. Margulis retourna dans le couloir et alla frapper à la porte ouverte. Les Wynn semblèrent surpris de le revoir :

— Tiens, encore vous ? dit madame Wynn. Avez-vous retrouvé vos amis ?

— Non, pas encore.

Monsieur Wynn se faisait masser par le masseur de l'hôtel. Il dit à Margulis que la télévision ne marchait pas et qu'il allait appeler quelqu'un de l'entretien.

— Il ne manquait plus que cela ! Quelqu'un de plus à l'étage ! Je lui ai dit de ne pas s'inquiéter, que j'en connaissais un bout sur les récepteurs de télévision et que je pourrais vraisemblablement arranger le leur. Je leur ai dit que j'allais revenir dès que j'aurais trouvé mes amis, et je suis sorti en fermant leur porte derrière moi...

...J'ai couru jusqu'à notre cachette, ai dit à mes compagnons d'empoigner la civière et de faire vite, que je me débrouillerais avec les femmes de chambre. J'ai été mettre leurs chariots en travers du couloir et je suis resté là pour leur boucher la vue si elles sortaient. En regardant par-dessus mon épaule, j'ai vu Eckersley et Waldron amener Hughes au pas de course dans la nouvelle chambre. Sitôt qu'ils furent à l'intérieur, je me hâtai de les rejoindre.

Juste à ce moment, la porte des Wynn s'ouvrit et madame Wynn sortit à nouveau :

— Quel homme occupé vous faites, Gordon, dit-elle.

Je lui dis que j'avais repéré mes amis et qu'ils occupaient la chambre voisine de la leur. Elle me dit que c'était épatant et que son mari et elle seraient très heureux de faire leur connaissance.

— Eh bien!... Peut-être plus tard, répondis-je. Ils sont... euh... en voyage de noces et... euh... ils ne doivent pas avoir envie d'être dérangés.

Puis je souris, lui fis un nouveau petit signe de la main, et m'engouffrai dans la chambre. Je me laissai tomber sur une chaise, j'avais les nerfs tendus à se rompre. J'ai pensé qu'un jour je me souviendrais de tout ça et que je trouverais ça drôle.

Le Vieux était très bien, sauf qu'il oubliait tout le temps de ne pas parler fort. Nous lui faisions sans arrêt signe de baisser le ton pour que les Wynn ne l'entendent pas.

Margulis attendit une bonne heure, et descendit voir ce qui se passait dans le hall; il grouillait d'agents de police et de fonctionnaires bahaméens.

Entretemps, au neuvième étage, le garde avait introduit les employés de l'Immigration quelques instants seulement après le départ de Hughes par l'escalier de secours : ils avaient déclaré qu'ils abattraient la cloison si on ne les laissait pas entrer. Ils fouillèrent la suite, ne trouvèrent pas Hughes, et se rabattirent sur Rickart, Bundy et Holmes qui n'avaient pas de permis de travail. Ils accompagnèrent les trois hommes dans leur chambre, leur laissèrent faire leurs bagages et les conduisirent à l'aéroport: on les expulsait. La rafle épargna Mell Stewart et le Dr Clark: ils visitaient une galerie d'art à Nassau.

Après avoir fouillé l'appartement, les Bahaméens étaient partis et la porte de séparation fut, de nouveau, fermée à clef.

— Comme ils avaient déjà fouillé l'appartement, nous avons pensé que c'était le meilleur endroit pour y cacher monsieur Hughes jusqu'à ce qu'on ait trouvé quoi faire, dit Margulis.

Ils attendirent qu'il fasse nuit noire, puis Gordon sortit dans le couloir qu'il trouva désert. Ils remirent Hughes sur la civière et le remontèrent dans l'appartement par le même chemin.

Quand ils l'eurent réinstallé dans sa chambre, Hughes se tourna vers Eckersley :

— J'aimerais bien voir un film maintenant.

— J'ai failli éclater de rire, dit Margulis. Mais Eckersley et Waldron ne l'entendirent pas de cette oreille. Ce fut l'une des rares fois où ses assistants imposèrent leur volonté à Hughes.

Paradis Island est reliée à Nassau par un pont qui est le seul moyen d'accès. Hughes avait plusieurs avions à l'aéroport de Nassau, mais aucun moyen de les rejoindre. Les Bahaméens savaient que Hughes était toujours sur Paradise Island et surveillaient le pont de près.

Ils savaient qu'il était là et ils se disaient qu'il suffisait de bloquer le pont et d'attendre jusqu'au matin.

Stewart et le Dr Clark revinrent à l'hôtel ; ils ne savaient rien de ce qui se passait. On les mit rapidement au courant.

Tard dans la soirée, l'agent de sécurité de Hughes, Jim Golden, réussit à atteindre la suite en passant par l'escalier de secours. Golden avait de la ressource et beaucoup de relations. Il avait appartenu aux Services secrets, on l'avait attaché à Richard Nixon quand Nixon était le vice-président de Eisenhower. Ensuite, il avait travaillé pour Intertel avant de se joindre à l'équipe de sécurité de Hughes.

Golden avait repéré un bateau privé de vingt-trois mètres, le *Cygnus*, ancré à Hurricane Hole pour réparations. Il connaissait le captiaine, un certain Bob Rehak.

Les réparations n'étaient pas terminées, mais le *Cygnus* était en état de prendre la mer. Golden dit qu'il allait essayer de trouver Rehak et de louer le bateau pour aller jusqu'en Floride.

Golden était l'ami de Turner Shelton, l'ambassadeur des États-Unis au Nicaragua. Golden pensait que s'ils réussissaient à sortir Hughes de Paradise Island, il pourrait l'installer à Managua, la capitale du Nicaragua, sous la protection du général Somoza, dictateur du pays.

Il était minuit passé quand Golden eut terminé ses préparatifs. Les assistants, auxquels s'étaient joints Stewart et le docteur Clark, décidèrent de tenter l'opération-sauvetage dans les heures sombres qui précèdent l'aube.

Peu avant quatre heures du matin, Howard Robard Hughes fit sa troisième excursion sur l'escalier de secours du Britannia Beach. Il descendit les neuf étages en civière, dans la nuit tropicale, avec Eckersley, Waldron, le docteur Clark, Stewart et Margulis.

L'homme le plus riche des États-Unis quittait l'hôtel « à la cloche de bois » comme un acteur de tournée après un four.

Hughes fut hissé dans un fourgon qui attendait derrière l'hôtel. Le véhicule sortit de la cour tous feux éteints et rejoignit le *Cygnus* prêt à appareiller. Rehak et son matelot, Donald Hout, attendaient. Pour une fois, on se dispensa du rituel habituel et Hughes, vêtu seulement d'une veste de pyjama et de son vieux peignoir, fut monté dans le poste de pilotage sous les yeux de deux étrangers.

Il bruinait maintenant. Du quai, Golden agita les bras en signe d'adieu tandis que les moteurs démarraient et que le *Cygnus* quittait doucement l'appontement. Il descendit le chenal, franchit le pont de Nassau, quelques mètres sous les pieds des sentinelles bahaméennes, puis gagna la haute mer.

— Dans l'organisation Hughes, c'était «les hommes d'abord, les femmes et les enfants après» dit Pat Margulis.

Quatre ans après le fiasco du Britannia Beach, elle arpente nerveusement la pièce en racontant ce qui leur est arrivé à Nassau, à son fils Tiny, alors âgé de deux ans, et à elle. Blonde aux yeux bleus, mince, l'air d'une «girl» de Las Vegas, Pat est un ancien mannequin; c'est une catholique pratiquante, elle est intelligente, elle a du caractère, elle s'exprime avec facilité:

— Je n'avais pas vu Gordon depuis deux jours quand les Bahaméens ont commencé leurs tracasseries. J'avais appelé plusieurs fois le Britannia Beach, mais la ligne de Paradise Island était encore en dérangement. Elle l'était constamment, pour une raison ou pour une autre. J'avais une petite Toyota de location, mais je n'avais pas envie de faire le trajet de l'hôtel si Gordon n'était pas libre. Tiny était toujours très excité à l'idée de voir son père et si nous n'avions pas pu le rencontrer, il aurait fait une colère...

...Il pouvait être dix heures, cette nuit-là; j'étais au lit, en train de lire une histoire à Tiny quand on frappa à la porte de derrière. J'ouvris un peu la vitre: c'était Fred Jayka. Je le laissai entrer. Il était très nerveux, ce qui n'était pas dans ses habitudes...

...Il a lancé sur le lit deux billets de cent dollars et m'a dit de quitter l'île au plus tôt, par le premier avion. J'étais interloquée, et lui ai demandé ce qui se passait.

Jayka lui expliqua que les officiers de l'Immigration campaient devant les portes verrouillées de la suite de Hughes, qu'ils avaient confisqué tous les véhicules et les tableaux qu'on lui connaissait, qu'ils avaient déjà expulsé trois de ses hommes et que son mari était coincé à l'hôtel avec Hughes et les autres.

—Je suis parti par l'escalier de secours poursuivit-il, Gordon se fait un sang noir pour vous et Tiny, et veut que vous fichiez le camp d'ici aussi vite que possible. Le mieux serait un vol pour Miami, mais prenez ce que vous trouverez, du moment que vous quittez l'île.

Jayka la prévint que l'aéroport était sévèrement gardé et que les Bahaméens avaient failli arrêter deux hommes de Hughes pour interrogatoire au moment où ils s'embarquaient pour Miami. Les deux hommes avaient réussi à s'échapper et à grimper dans l'avion.

—Il m'a dit que les Bahaméens possédaient les numéros des voitures de Hughes non encore confisquées, et que je ne pourrais pas me servir de la Toyota sans être prise. Il me prit les clefs pour plus de sûreté et repartit voir s'il pouvait faire quelque chose pour Hughes...

...Je me suis retrouvée toute seule, sans voiture, avec un bébé sur les bras. J'avais peur. J'ai appelé une jeune Anglaise que j'avais rencontrée, Marie, dont le mari, un Américain, jouait dans l'orchestre du Britannia Beach. Ils arrivèrent en voiture avec des cartons pour emballer nos affaires. Ils repartirent parce qu'il devait être à l'hôtel pour le dernier spectacle, mais Marie revint et me conduisit à l'appartement qu'occupaient les pilotes de Hughes. Nous avons tambouriné à la porte jusqu'à ce que quelqu'un nous dise qu'ils avaient filé dans l'après-midi en laissant tout derrière eux...

...Là, j'ai vraiment paniqué. Je me disais : tu vas être la seule à rester sur l'île, et tu vas te retrouver à Fox Hill—c'est la prison des Bahamas, sur le compte de laquelle j'avais entendu des histoires abominables.

Cette nuit-là, Pat Margulis ne put fermer l'oeil.

— Je m'endormais à moitié, puis j'entendais un bruit et je pensais que c'étaient les gens de l'Immigration qui venaient me chercher.

Il y avait un avion pour Miami à midi, et Marie vint les chercher, elle et Tiny, pour les conduire à l'aéroport. Pat n'emporta qu'une seule valise, laissant sur place le reste de ce qu'ils possédaient.

— Marie prit Tiny, et je partis acheter un billet pour Miami, sous le nom de madame King. J'ai pensé que si j'étais recherchée, c'était une blonde avec un bébé qu'ils chercheraient ; j'allais être une blonde *sans* bébé...

... J'ai passé la douane seule. Le douanier prit tout son temps pour examiner mes bagages et me dévisager ; je priais le Ciel qu'il ne me demande pas mon passeport (les touristes peuvent aller et venir du continent sans passeport). Il me laissa finalement passer et Marie me suivit avec le bébé...

... À ce moment précis, j'ai levé les yeux et aperçu le professeur de tennis de Britannia Beach ; il nous connaissait bien, Gordon et moi, et il était membre du Parti indépendantiste. Il restait là à me fixer ; je me suis assise en essayant de prendre un air calme et dégagé...

... On a appelé les passagers pour Miami et, sans regarder en arrière, je me suis levée et me suis dirigée vers l'avion, toute seule. Assise à bord, je guettais la porte d'embarquement en murmurant une prière... presque aussitôt, Marie—Dieu la bénisse !—apparut, portant Tiny...

... Elle le posa sur mes genoux, se pencha, m'embrassa sur la joue et s'en alla. C'était, comme on dit, une sacrée bonne femme...

... J'ai passé six heures à l'aéroport de Miami à attendre une correspondance pour Las Vegas. Le bébé s'agitait, je n'avais pas le moindre jouet, je ne savais pas où était Gordon, s'il n'était pas à Fox Hill, ou même s'il n'était pas mort. Je n'ai su ce qui s'était passé que le lendemain, à Las Vegas, et je n'ai revu Gordon que quatre mois plus tard, quand j'ai pu lui rendre visite à Vancouver.

Pat Margulis secoua la tête :

— Quelquefois, les gens me disaient que ça devait être merveilleux de faire partie de l'organisation Hughes...

Quand j'entendais cela, j'avais envie de mordre !

Il fallut vingt-deux heures pour rallier le continent. La mer était mauvaise, le *Cygnus* tanguait et roulait. Au bout d'un moment, on emmena Hughes dans une cabine et on lui donna de la Nautamine pour qu'il n'ait pas le mal de mer. Mais il avait le pied marin et supporta très bien le voyage.

Pas Margulis : le bateau sentait la peinture fraîche et le gas-oil, et moins d'une heure après le départ, il était malade.

— Je me suis allongé sur le plancher de la cabine et j'ai essayé de me persuader que je n'allais pas crever. Un peu plus tard ça m'aurait été égal même de crever !

Hughes demanda à Eckersley :

— Qu'est-ce que Gordon fait là, allongé sur le plancher ? C'est sale, les planchers ; il sait bien qu'il ne faut pas faire ça.

— Dis-lui que je sais tout cela, dit Margulis à Eckersley, mais que je n'ai pas l'intention de me lever.

Avec le temps, Margulis se sentit mieux et sortit sur le pont. Il n'y avait rien à manger à bord, et seulement une bouteille de Poland entamée que quelqu'un avait prise au passage pour Hughes. À l'approche de la côte de Floride, la mer s'apaisa ; Rehak amena le *Cygnus* à Biscayne Bay et l'amarra devant la luxueuse maison que Bill Gay y avait depuis des années.

— Gay était là, il nous attendait. Il nous dit : « Les gars, vous avez fait du bon boulot, vous avez bien mérité quelques sandwiches. »...

... Gay voulait qu'on installe Hughes dans la maison pour quelques jours : il avait besoin d'un dentiste, et Gay trouvait que c'était le moment de s'en occuper...

... Hughes n'avait jamais aimé cette maison et refusa d'y mettre les pieds. Golden s'était arrangé, et il y avait un douanier américain qui nous attendait en Floride pour nous faire passer au Nicaragua...

... Gay insistait toujours pour qu'on fasse une petite halte, mais Hughes lui fit dire qu'il ne resterait en aucun cas en Floride. Alors nous avons trouvé un autre fourgon, y avons chargé le Vieux et sommes partis pour Fort Lauderdale. Waldron et moi sommes montés avec monsieur Hughes. Allen Stroud conduisait...

... À l'aéroport de Fort Lauderdale, un jet d'affaires de location devait nous attendre, mais il y avait eu un contretemps et l'avion n'était pas là à notre arrivée.

Stroud ne savait pas quoi faire, alors il roula au hasard, guettant anxieusement l'atterrissage de l'avion attendu. Au bout d'un moment, Hughes se mit en colère :

— Qui conduit cet engin ?

— Allen Stroud, un de nos gars.

— Peut-il me *voir* ?

— Non, monsieur, il ne peut pas vous voir.

— Tout va bien ?

— Je crois que oui. L'avion va arriver d'un instant à l'autre.

— Je suis heureux de l'apprendre : c'est la *troisième fois* que nous passons devant cette bon dieu de tour de contrôle.

Au même moment, l'avion atterrit et Margulis le montra à Hughes.

— Eh bien ! c'est merveilleux, nous avons un avion, dit Hughes. Maintenant pensez-vous que peut-être il serait possible de *monter à bord?*

Le fourgon s'engagea sur la piste et l'un des assistants sacrifia au rituel : il fit sortir le pilote et le copilote de leur appareil, les accompagna jusqu'à environ cinquante mètres de là et les fit arrêter, le dos à l'avion. Hughes fut transporté à bord, isolé à l'arrière, puis l'on autorisa les pilotes à regagner leur poste. Margulis, Stewart, le docteur Clark, Waldron et Eckersley s'entassèrent dans l'appareil, qui décolla.

À Managua, ils amenèrent Hughes à l'hôtel Intercontinental ; Margulis et Waldron le firent entrer par la porte de service dans une chaise roulante sans être remarqués. Ils installèrent temporairement leur patron dans une chambre pour une personne car la direction de l'hôtel n'avait pas eu le temps de libérer les différentes suites dont le groupe de Hughes avait besoin.

— Nous avons été obligés d'improviser, parce qu'on était vraiment partis des Bahamas en catastrophe, dit Margulis. Nous n'avions pas eu le temps de « préparer le terrain » comme nous le faisions d'habitude, et tout le monde était littéralement assommé de fatigue. La presse réussit à savoir que Hughes était à l'hôtel : des journalistes et des photographes patrouillaient partout pour le trouver.

Il y eut une alerte qui fit trembler la Machinerie du Secret. Un des hommes quitta la chambre de Hughes pour une course urgente et laissa la porte ouverte. Le milliardaire dormait sur le lit, en caleçon, parfaitement visible du couloir.

— Un journaliste et un photographe arrivaient, raconte Margulis. S'ils avaient jeté un coup d'oeil dans la chambre, ils auraient pu prendre la première photo authentique de Hughes depuis quinze ans...

...Ils passèrent devant la porte ouverte sans regarder; ils n'auront même pas su ce qu'ils perdaient. Je pense qu'ils cherchaient une chambre avec une escouade de gardes autour, et ne pouvait pas s'imaginer qu'une chambre avec une porte *ouverte* puisse être celle de monsieur Hughes.

Après la période habituelle de silence glacial, Dick Hannah, le porte-parole de Hughes à Los Angeles, confirma aux journaux que celui-ci avait quitté les Bahamas et résidait maintenant au Nicaragua, traité en hôte du gouvernement. Il ne donna aucune explication sur les raisons du départ des Bahamas ni sur les circonstances un peu spéciales dans lesquelles il avait eu lieu. Peut-être ne les connaissait-il pas ? Une fois l'épreuve terminée, les assistants la chassèrent de leur mémoire, comme si rien de cela n'était arrivé.

À vivre ensemble dans ce petit univers dont ils contrôlaient l'information, les hommes de Hughes finissaient par avoir une vue «orwellienne» des événements qu'ils n'avaient pu contrôler. Si ce qui s'était passé était embarrassant, ils tiraient la chasse d'eau des cabinets de la mémoire et expurgeaient la réalité.

Quelques mois après l'«Opération sauvetage», le capitaine et le matelot du *Cygnus* firent un récit franc—et exact—de l'aventure à un journaliste du *Miami Herald*.

Ils décrivirent Hughes comme un homme affaibli par le manque d'exercice, pesant moins de soixante kilos, avec une longue barbe, les cheveux sur les épaules et des ongles de pieds démesurément longs.

Quand ses assistants lurent le récit du *Herald*, ils furent scandalisés :

— C'est dégoûtant que les journaux puissent publier de

tels *mensonges* impunément ! dit l'austère Levar Myler. Il devrait y avoir un moyen d'*empêcher de paraître* des articles comme ça.

— J'étais littéralement renversé, dit Margulis. Les deux gars du *Cygnus* avaient bien regardé le patron et avaient simplement raconté ce qu'ils avaient vu. L'article était tout à fait véridique, et c'est ce que j'ai dit à Myler. Il m'a regardé d'un air indigné, il a jeté le journal par terre et il est parti.

10

OUVERTURE SUR LE MONDE

À l'inverse de ses assistants, Hughes sembla ragaillardi par l'interview téléphonique et ses conséquences imprévues. Il avait apprécié le jeu du chat et de la souris avec les sept journalistes : c'était son premier contact avec la presse depuis quatorze ans. On l'avait exposé à la lumière du jour (même si c'était sur un escalier de secours), et le ciel ne lui était pas tombé sur la tête. De plus, deux inconnus, l'équipage du *Cygnus*, avaient pu le voir de près sans se jeter par-dessus bord.

— On le surprenait à chanter, et il n'avait pas chanté depuis Las Vegas, dit Margulis. Il ne connaissait qu'une chanson. C'était ce refrain qui ne voulait rien dire, du début des années 50 : « Hey ! Ba, ba, re, bop ». Il se le chantait à lui-même, juste cette phrase-là, sans arrêt : « Hey ! Ba, ba, re, bop », « Hey ! Ba, ba, re, bop ». C'était drôle, venant de lui, parce que ce n'était pas le genre d'homme à dire des choses qui n'avaient aucun sens ; mais je suis toujours resté impassible. Quand il commençait à chantonner : « Hey ! Ba, ba, re, bop », on savait qu'il voyait les choses du bon côté ; ça n'était pas si fréquent.

Peu après la fuite au Nicaragua, Hughes reçut deux bonnes nouvelles : la Cour suprême des États-Unis annonça qu'elle recevait sa demande en appel du jugement par défaut de cent quarante-cinq millions de dollars dans le procès de la T.W.A. C'était un sursis de dernière minute, un premier rayon de soleil après dix ans de mauvais temps judiciaire. Si la Cour avait rejeté l'appel, la longue et coûteuse bataille aurait été terminée et perdue. Il y avait maintenant une dernière chance, bien mince, de retourner l'affaire.

« Hey ! Ba, ba, re, bop ».

À New York, Clifford Irving finit par s'avouer battu et reconnaître que l'autobiographie vendue à McGraw-Hill n'était que du plaqué.

L'organisation Hughes avait dépensé beaucoup d'argent—plus de deux cent mille dollars—à tenter de démontrer que le livre était un faux, parce qu'il avait un effet désastreux sur les officiels du contrôle des jeux du Nevada. Maintenant, au moins, ceux-ci savaient que Hughes n'avait pas couru le pays en compagnie de Clifford Irving, et peut-être la réorganisation des casinos, longtemps au point mort, allait-elle redémarrer.

Hughes resta moins d'un mois au Nicaragua bien qu'il se plût dans la petite dictature d'Amérique latine. On ne posait pas de questions embarrassantes au parlement à propos de permis de travail ou de passeports : il n'y avait pas de parlement au Nicaragua.

Mais le pays avait un inconvénient : le réseau téléphonique était au-dessous de tout. Les assistants n'étaient jamais sûrs d'avoir la communication avec le centre de contrôle en Californie ; c'est pourquoi ils commencèrent dès le mois de mars à préparer un déménagement à Vancouver.

La dernière semaine de son séjour au Nicaragua, Hughes prit une grande décision. Toutes proportions gardées, c'était Christophe Colomb décidant de partir à l'aventure sur la grande mer inconnue pour trouver les Indes, ou, du moins, lady Godiva se résolvant à chevaucher toute nue dans les rues de Coventry.

Après plus de dix ans d'invisibilité, Hughes décida de se montrer en chair et en os à deux personnes.

Bien sûr, les hommes du *Cygnus* l'avaient vu, mais c'était dû à un hasard, inévitable dans les folles circonstances de cette fuite improvisée. Tandis qu'il venait de décider, de son plein gré, de recevoir deux étrangers.

Ce fut un message d'Anastasio Somoza, le président du Nicaragua, qui tira le milliardaire des profondeurs de son Loch Ness personnel. Le message parvint à Hughes par l'intermédiaire de l'ambassadeur Turner Shelton ; il disait que le président serait heureux et honoré de rencontrer monsieur Hughes, ne serait-ce que pour se dire des choses aimables et bavarder un moment.

Hughes dit à ses hommes qu'il envisageait d'accorder l'audience demandée, ce qui inquiéta certains d'entre eux. S'il commençait à voir des gens de l'extérieur, où allait-on ? Si Hughes retournait dans le monde, cela mettrait fin au contrôle qu'ils exerçaient et ils n'auraient plus de raison d'être.

D'un autre côté, il n'était pas question de dire au milliardaire qu'il ne pouvait pas agir à sa guise. Alors, ses hommes se contentèrent de maugréer entre eux, en espérant que leur employeur abandonnerait l'idée ridicule de se comporter normalement.

Puis un beau jour, Hughes demanda qu'on lui coupe les cheveux et la barbe et qu'on s'occupe de son apparence... Mell Stewart apporta ses outils et se mit en devoir de tailler cette masse de cheveux et de poils.

Margulis accompagnait Stewart et cela déplut à Hughes :

— Que fait Gordon ici ?

— Il va m'aider, répliqua Stewart.

— Mais Gordon s'occupe de la *nourriture*. Il est inutile que la personne qui va toucher à ma nourriture soit là quand je me fais couper les cheveux.

— Monsieur Hughes, avez-vous jamais entendu parler de l'eau et du savon ? demanda Stewart exaspéré. Quand il aura fini de s'occuper de vos cheveux avec moi, Gordon ira se laver.

L'apparence de Hughes demanda plus de soins au Nicaragua que d'habitude. À part lui tailler les moustaches de temps en temps, Mell Stewart n'avait pas exercé ses talents de coiffeur depuis trois ou quatre ans. L'une des particularités de Hughes est qu'il ne parlait jamais de ses longues périodes de laisser-aller et n'en donnait pas d'explication. Ses hommes non plus ; on n'en parlait pas, comme une famille unie ignore le comportement bizarre d'un oncle particulièrement excentrique, mais très riche.

— Les seules fois où on parlait de ça, c'est quand Hughes se plaignait que sa moustache trop longue le gênait pour manger, dit Stewart. Je lui disais : « Je vais vous arranger ça en deux minutes avec mes ciseaux. »

Il répondait généralement : « Oui, d'accord, mais pas aujourd'hui, j'ai autre chose à faire. »

Quand ils lui coupaient les ongles, Hughes insistait pour qu'on laisse l'ongle du pouce gauche dépasser d'un petit centimètre taillé en carré.

— C'est mon tournevis, dit-il. Ne coupez pas mon tournevis trop court.

Il se servait de cet ongle pour feuilleter ses documents, resserrer des vis ou faire des réglages sur son projecteur de cinéma ou d'autres appareils.

— La seule raison que j'aie pu trouver à cette manie d'utiliser son ongle, dit Margulis, c'est que ça lui évitait de manier un tounevis sur lequel il aurait pu y avoir des microbes...

... Le maniement des objets avait donné naissance à un rituel compliqué : quand on lui apportait une cuiller, par exemple, il fallait que le manche soit entouré d'un mouchoir en papier maintenu avec du scotch. Il fallait lui tendre le tout dans un autre mouchoir de papier, pour ne pas contaminer le premier, et il saisissait la cuiller sur le mouchoir que l'on tenait... Alors, imaginez ce que ça aurait été avec un tournevis.

— Une fois rasé, coiffé et apprêté, c'était un autre homme, dit Stewart. On se demandait vraiment pourquoi il se laissait aller si longtemps.

La rencontre accordée à Somoza et à l'ambassadeur Turner eut lieu à bord de l'avion de Hughes, à l'aéroport. Hughes sortit de l'hôtel en chaise roulante, fut transporté à l'aéroport et mis dans l'avion avant l'arrivée de ses visiteurs. Il était accompagné de Holmes, Margulis, Myler et Francom.

Hughes accueillit le président du Nicaragua et l'ambassadeur Turner habillé d'un pantalon de pyjama, de son peignoir, et chaussé de ses vieilles sandales.

Le grand milliardaire décharné et le dictateur à lunettes trapu s'entendirent très bien. Ils avaient beaucoup en commun; à bien des égards, leur rencontre était comparable à une entrevue officielle entre deux souverains.

Somoza était devenu El Presedente à vie en 1967; il exerçait sur le Nicaragua le même pouvoir absolu que Hughes avait eu sur son empire. Le Nicaragua était le pays le plus américanisé d'Amérique latine. Somoza était issu d'une famille conservatrice de planteurs de café. Son père, qui s'appelait également Anastasio, avait été président de 1937 à 1956, année où il fut assassiné. Le vieux Somoza avait fait ses études au Pierce Commercial College, de Philadelphie et à West Point, il avait ensuite travaillé plusieurs années aux États-Unis comme comptable d'une société automobile. Il était ensuite retourné dans son pays natal pénétré d'un enthousiasme sans bornes pour certaines institutions «yanqui» en particulier le base-ball, qu'il introduisit au Nicaragua, et la libre entreprise qu'il exerça surtout au profit de la famille Somoza. Son accession au pouvoir était le résultat d'élections supervisées par un fort contingent de Marines U.S. Quand il devint président, au plus aigu de la crise, un policier ou un bon cuisinier nicaraguais gagnait à peu près quatre dollars par mois.

Le vieux Somoza se contentait de cent mille dollars par an et, comme on pouvait s'y attendre, son fils partageait l'anticommunisme farouche de Hughes.

L'entrevue dura environ quarante-cinq minutes. À mesure que la conversation se prolongeait, l'agitation gagnait les assistants et Somoza dit qu'il ne voulait pas retarder le départ de l'avion.

— Ne vous inquiétez pas, dit Hughes, cet avion ne s'en ira nulle part avant que j'en donne l'ordre.

Hughes ne fit qu'une gaffe que, fort diplomatiquement, Somoza ne releva pas: après quelques minutes de conversation, le milliardaire regarda son hôte et remarqua sur un ton de légère surprise:

— Savez-vous que vous parlez vraiment bien anglais, pour un étranger...

El Presedente ne fit pas remarquer à Hughes qu'il avait été éduqué aux États-Unis, ni qu'au Nicaragua c'était Hughes l'étranger.

L'un des à-cotés bénéfiques de l'entrevue, du point de vue de la Machinerie du Secret, fut une interview que l'ambassadeur Shelton accorda à la presse après le départ de Hughes.

— Je n'ai pas remarqué que Hughes fût dur d'oreille, dit-il, et il parlait d'une voix forte. Il était d'excellente humeur et m'a remercié d'avoir fait les démarches nécessaires à sa visite au Nicaragua. Il avait les cheveux courts comme il les a toujours eus. Il nous a serré la main, et sa poignée de main était ferme. Tout ce qui a été écrit sur ses ongles de mandarin est un tissu d'inepties. Il avait les onles aussi soignés que vous et moi.

Quelques sceptiques se fondèrent sur l'affirmation de Shelton que Hughes leur avait donné « une ferme poignée de main » pour dire que, de toute évidence, Somoza et Shelton avaient eu affaire à un double et pas au vrai Hughes. Le véritable Hughes, affirmaient-ils, aurait reculé devant une main tendue comme devant un serpent venimeux. Donc, *voilà,* C.Q.F.D., ce n'était pas Hughes qui avait accordé cette entrevue sans précédent.

Margulis, qui y avait assisté, confirme que Hughes en personne avait effectivement donné une poignée de main à Shelton et Somoza.

Deux à chacun, en fait : une à leur arrivée, une autre à leur départ. Ce que les sceptiques n'avaient pas saisi, c'est que chez Hughes, rien n'était prévisible : son seul trait immuable était justement d'être hautement imprévisible.

— Non seulement il leur a serré la main, se rappelle Margulis, mais il n'a même pas fait la grimace.

Au cours de la conversation, Hughes offrait spontanément une explication de sa légendaire réclusion et de son origine :

— Il nous a expliqué, devait dire plus tard l'ambassadeur aux journalistes, qu'il avait été peu à peu amené à s'isoler du monde parce qu'il était constamment interrompu dans son travail par des coups de téléphone ou des visites intempestives. Il avait besoin de travailler jusqu'à dix-huit heures par jour, dans une concentration intense, et il avait constaté qu'il était dérangé jusqu'à trente fois par jour et que presque toutes ces interruptions n'étaient utiles qu'à lui faire perdre son temps. C'est pourquoi il avait demandé à ses assistants de filtrer les appels téléphoniques, et il s'était aperçu que s'il n'y en avait pas du tout, il était encore plus content.

Cette explication, authentifiée par un ambassadeur des États-Unis, offrait une image de Hughes qui a dû ravir ses chargés de relations publiques. Si on ne le voyait jamais, c'est qu'il était effroyablement occupé par les affaires de son immense empire, et que ses lourdes responsabilités ne lui permettaient pas la moindre distraction. Selon le témoignage d'un homme qui l'avait vu et lui avait parlé, Howard Hughes, ongles soignés et courte barbe à la Van Dyck, était tout simplement un disciple fidèle de l'éthique protestante du travail.

À la fin de leur entrevue à l'aéroport, Somoza donna à Hughes une médaille en or commémorant son bref séjour au Nicaragua, et l'engagea à y revenir. Puis les visiteurs s'en allèrent, et l'avion décolla pour Vancouver.

En quatre courtes semaines, Hughes avait reçu *quatre* représentants de ce monde extérieur qu'il redoutait, sans qu'une catastrophe s'en suivit. Il devenait — tout est relatif — mondain !

L'avion atterrit à Vancouver aux premières heures du matin, sous une pluie battante. Cette fois, tout avait été organisé à l'avance sur place. Des fonctionnaires canadiens étaient là pour expédier les formalités d'entrée sans importuner Hughes.

— Il n'y avait pas de questions à poser, explique dignement l'un deux. Nous savions qui il était, qu'il disposait, lui et ses compagnons, de ressources suffisantes et qu'ils ne risquaient pas de tomber à la charge de la collectivité.

Hughes fut transporté de l'avion à une voiture qui l'attendait et conduit au Bayshore Inn, qui domine le port de Vancouver.

— Malgré le temps épouvantable, le patron était de très bonne humeur, dit Margulis. Quand nous fûmes arrivés devant la porte de service de l'hôtel, j'ai voulu sortir la chaise roulante du coffre de la voiture.

— Ce n'est pas la peine, me dit-il. Je vais marcher.

— Francom d'un côté, moi de l'autre, il est entré dans l'hôtel en *marchant*, comme tout le monde. Et même, en prenant son temps.

Dans le hall, il y avait une dame d'un certain âge et, sur un côté, un type qui faisait les vitres. En temps normal, ça l'aurait effarouché; au contraire, il s'est arrêté et a regardé autour de lui:

— C'est très agréable.

Un des assistants s'approcha de Marculis et lui dit:

— Allez chercher la chaise roulante et activons un peu.

— Je lui ai répondu de se calmer et de laisser le patron regarder un peu autour de lui.

Quand ils emmenèrent Hughes en ascenseur dans la suite qu'ils avaient réservée, une fois en haut, au lieu de se terrer dans sa chambre, il alla à la fenêtre et admira la vue.

— Les assistants comptaient installer le Bureau dans cette grande pièce centrale, dit Margulis. Le patron regarda un long moment par la fenêtre et observa un hydravion qui amerrissait dans le port. Il dit qu'il aimait la vue. Les assistants n'aimaient pas ça du tout. Ils me dirent de l'éloigner de la fenêtre et de l'emmener dans sa chambre...

...Puis il se passa quelque chose qui me glaça littéralement. Le patron dit qu'il aimait cette grande pièce, et la vue, et déclara que cela ferait un agréable salon. Depuis des années, il n'avait pas de salon, faisait aveugler ses fenêtres et ne regardait jamais au dehors. Ils lui dirent que quelqu'un pourrait passer en hélicoptère devant le salon et le prendre en photo au téléobjectif.

— Voilà *votre* chambre, dirent-ils en l'emmenant vers une petite pièce obscurcie de lourds rideaux bien collés.

Il les suivit docilement et ils l'enfermèrent à nouveau dans son réduit obscur. Au bout d'un moment, il se mit au lit et réclama un film, et tout redevint comme avant, comme c'était depuis des années.

Mais, pour le monde extérieur, on accréditait l'idée que Hughes sortait peu à peu de son isolement. En avril, Eckersley dit à un journaliste de Vancouver que son patron autoriserait bientôt la publication de photos. On annonça que le projet était en train : trois photographes avaient été pressentis, bientôt le public pourrait contempler un portrait de l'homme invisible.

Un an plus tard, il n'y avait toujours rien.

Quand un journaliste demanda à Hannah, le porte-parole de Hughes, ce que devenaient les photos depuis si longtemps promises, Hannah lui répondit sèchement :

— Quand monsieur Hughes le décidera.

Aucune photo officielle de Hughes ne fut jamais distribuée.

Parmi les gens qui étaient curieux de savoir de quoi Hughes avait l'air, il y avait même des personnes haut placées dans l'organisation : Kay Glenn, par exemple, qui était pourtant le directeur de la petite équipe qui entourait Hughes.

En 1971, le magazine *Look* publia un article sur Hughes avec, en première page, son portrait comme l'avait imaginé l'artiste : avec de longs cheveux dans le dos, comme un hippie !

Kay Glenn acheta *Look*, et demanda à Margulis :

— Ce dessin de Hughes... c'est vraiment à ça qu'il ressemble ?

C'était un hommage à la Machinerie du Secret : celui qui la supervisait ne savait pas lui-même de quoi le milliardaire avait l'air.

Margulis dit que le portrait était très ressemblant, et qu'il avait pensé que Glenn n'avait pas besoin de le savoir, et lui a répondu :

— Ah, non, pas du tout !... D'ailleurs, ma réponse allait devenir vraie : après que le patron se fut fait coiffer au Nicaragua, il ne ressemblait plus au portrait de *Look*.

Glenn finit par apercevoir son employeur, à Vancouver.

— Kay Glenn nous attendait à l'hôtel, dit Margulis. Il s'était occupé en partie des préparatifs et il était devant l'entrée quand nous sommes arrivés de l'aéroport. Il a dit :

— Bonjour, monsieur Hughes.

Hughes demanda à Gordon qui c'était.

— C'était Kay Glenn.

— Kay Glenn ? Oh, je me souviens, dit Hughes. C'est le gars qui va me chercher mes films.

L'entourage de Hughes était devenu si nombreux qu'il occupait vingt-quatre chambres au Bayshore Inn. Toutes n'étaient d'ailleurs pas utilisées. Cela comprenait tout le vingtième étage de l'hôtel, plus les chambres du dix-neuvième qui se trouvaient juste sous la suite de Hughes ; celles-là devaient rester vides et fermées à clef pour raison de sécurité : il fallait établir une zone de silence pour empêcher toute écoute électronique.

Un journal de Vancouver, décrivant ces précautions, remarquait que le dispositif de sécurité entourant le milliardaire était beaucoup plus strict que celui qui protégeait le premier ministre du Canada, Pierre Elliott Trudeau, lors de sa récente visite à Vancouver.

L'une des raisons en était la présence à Vancouver d'un grand nombre de jeunes objecteurs de conscience américains qui avaient fui les États-Unis. Les plus militants d'entre eux faisaient rejaillir l'impopularité de la guerre du Vietnam sur tous ceux qui en tiraient profit, et la Hughes Aircraft et sa succursale d'hélicoptères avaient de gros contrats militaires.

— Nous avons eu une alerte à la bombe, rappelle Margulis. Un jour, Fred Jayka et moi descendions ensemble quand le portier de l'hôtel nous arrêta. Il nous dit avoir vu un type mettre quelque chose sur le siège arrière d'une des voitures de Hughes, sur le parking...

... Nous sommes allés voir. Il y avait un sac juste contre la portière arrière. Celui qui l'y avait mis avait appuyé sur le bouton verrouillant la porte, ce qui rendait la chose suspecte. Je jetai un coup d'oeil sur le parking : il était vide. Je me suis penché par-dessus le siège avant, j'ai pris le sac et l'ai lancé aussi loin que j'ai pu, et Fred et moi nous nous sommes jetés au sol pour éviter le choc. Il n'y a pas eu de choc. Je me suis relevé, me sentant un peu idiot. Je ne pense pas que c'était une bombe, dis-je à Fred, ou alors c'en était une toute petite. Nous y sommes allés et avons ouvert le paquet : c'était du linge sale !

Ils restèrent six mois à Vancouver. Au cours de ces six mois, l'impasse entre l'organisation Hughes et les autorités du Nevada devint absolument totale.

Soutenu par le gouverneur O'Callaghan, le président de la Commission du contrôle des jeux, Phil Hannafin, exigeait une rencontre avec Hughes en personne : c'était la condition qu'il posait à l'approbation de la réorganisation de ses casinos. Un des points en litige était la délivrance d'un permis à Chester Davis, qui avait été nommé au conseil d'administration de la Toolco. La loi de l'État exigeait que Davis, en tant qu'administrateur de la Toolco, se soumette à la procédure d'obtention du permis. Sa candidature avait été présentée, mais la Commission refusait de l'approuver. L'administration O'Callaghan prenait la position légalement irréprochable-ble, mais sans précédent, que Hughes devait se conformer à la loi, comme n'importe quel propriétaire de casino : si Hughes voulait que Chester Davis soit le détenteur du permis, il devait le déclarer en personne, une lettre ne pouvait en aucun cas suffire.

— Nous voulons seulement nous assurer que Howard Hughes est au courant de ce qui se passe, déclara le gouverneur.

— Les concessions faites à Hughes dans le passé, dit Hannafin, ont porté atteinte à l'intégrité et à la dignité de l'État du Nevada. Le déroulement du procès Irving a, d'autre part, montré qu'il n'était pas toujours possible de considérer l'écriture de Hughes comme l'expression de sa volonté. Essayer d'établir le contact avec monsieur Hughes, c'est crier dans un tonneau vide. La seule réponse que j'aie jamais obtenue, c'est l'écho de ma propre voix et je n'ai pas l'intention d'aller à Vancouver pour y rester assis sur mon derrière en attendant que monsieur Hughes veuille bien me recevoir.

À un moment, Bill Gay, Chester Davis et autres cadres de Hughes se rendirent ensemble à Carson City pour persuader le gouverneur d'infléchir légèrement le règlement pour arranger le milliardaire. Le gouverneur leur dit que s'ils voulaient discuter avec lui la question des permis, Chester Davis ne saurait être présent : le nom de monsieur Davis ne figurait pas sur le permis de Hughes, il n'était donc pas un interlocuteur valable. Davis s'assit dans la salle d'attente pendant que le gouverneur mettait les points sur les « i » ; la Commission des jeux n'agirait qu'après une rencontre avec Hughes en personne.

L'organisation Hughes, jusque-là irrésistible, rencontrait un obstacle apparemment insurmontable. Les avocats de Hughes ne pouvaient guère prétendre, comme ils l'avaient fait dans les procès de la T.W.A., que Hughes ne voulait voir *personne :* s'il pouvait bavarder avec un dictateur latino-américain, il devenait difficile d'expliquer pourquoi il ne pouvait le faire avec les autorités démocratiquement élues du Nevada.

Tandis que l'organisation se débattait avec le problème du gouverneur qui insistait pour voir Hughes, elle reçut une autre demande d'audience. Un jour, un homme déguisé en Mickey Mouse, se présenta au Bayshore Inn et fit dire qu'il avait un cadeau pour monsieur Hughes. C'était un membre de la « Parade Disney », qui faisait une tournée publicitaire, et il voulait offrir à Hughes une authentique montre Mickey, dédicacée comme suit : « Les héros légendaires doivent continuellement jouer au chat et à la souris avec le public pour qu'il continue à croire en eux, vous devez sûrement, de temps à autre, avoir envie de savoir l'heure. »

Le personnage de dessins animés favori de l'Amérique du Nord se heurta au même mur que les limiers de la T.W.A., les huissiers et tous les autres. Mickey dut remettre la montre à un employé.

Alors que Hughes se moquait éperdument de l'heure qu'il pouvait être, il était exquisement sensible au passage du temps quand il s'agissait de ses obligations fiscales. Le gouvernement du Canada accorde à ses visiteurs une exemption d'impôts de six mois. Hughes était arrivé au Canada le 12 mars 1972, l'exemption expirait donc le 12 septembre.

Deux semaines avant, l'entourage fut averti qu'on allait quitter le Canada et retourner au Nicaragua, où il n'y avait pas de problème d'impôts.

Deux semaines avant le 12 septembre, les bagages faits, on reprit le chemin de l'humide petit pays d'Amérique latine.

— Il y eut un accroc à l'aéroport de Vancouver, raconte Margulis; où que nous allions, le patron exigeait qu'il y eût à bord une réserve de sandwiches au poulet et de lait. Il avait des habitudes; celle-ci remontait loin: lorsqu'il faisait le tour du monde et pulvérisait des records, il emportait dans son avion du lait et des sandwiches au poulet. C'était resté la règle: il fallait toujours avoir les mêmes provisions à bord...

...L'avion se dirigeait vers la piste d'envol quand j'ai vérifié les réserves. Quelqu'un avait oublié le pain pour les sandwiches. Je refilai le problème à Levar Myler et on arrêta l'avion. L'escalier de sortie fut abaissé et Rickard descendit, fit signe à une voiture de l'aéroport et partit chercher du pain. La voiture revint, Rickard, serrant le pain contre sa poitrine, sauta dans l'avion et nous partîmes pour le Nicaragua.

Au Nicaragua, il y eut un autre accroc, beaucoup plus grave celui-là : Hughes décida de vendre la Hughes Tool Co., et sous-estima sa valeur de trois cent millions de dollars.

11

LE TREMBLEMENT DE TERRE

La décision soudaine de vendre la Hughes Tool Co. fut un acte désespéré qui, ironiquement, se révéla inutile. Hughes se sépara de cette « machine à faire de l'argent » qui nourrissait son empire depuis presque un demi-siècle afin d'avoir l'argent nécessaire pour payer le procès T.W.A. Puis, quand il eut l'argent, la Cour suprême des États-Unis étonna tout le monde en déboutant son adversaire.

En 1972, la somme due par Hughes, avec les intérêts cumulés, s'élevait à cent soixante-dix millions de dollars. Depuis dix ans, il avait perdu tous les procès à tous les niveaux du système judiciaire. On avait épuisé tous les arguments et, Chester Davis mis à part, personne ne s'attendait à ce que la Cour suprême renverse dix années de jugements défavorables.

Hughes était convaincu d'avoir sous peu cent soixante-dix millions de dollars à débourser, et il ne les avait pas.

Comment un homme qui valait plus d'un milliard de dollars pouvait-il ne pas avoir cent soixante-dix malheureux millions? La réponse est que Hughes ne laissait jamais de grosses sommes d'argent dormir ; s'il l'avait fait, il ne serait jamais devenu milliardaire.

Le milliard de Hughes pouvait se décomposer comme suit : ses hôtels de Las Vegas, la Hughes Tool Co., la Hughes Air West, son usine d'hélicoptères, une demi-douzaine d'autres compagnies, et d'immenses étendues de terrains non utilisés. Si l'on additionnait la valeur de ces possessions, on arrivait à un total d'à peu près un milliard deux cent cinquante millions de dollars. Mais c'était du capital investi, pas du liquide.

Hughes n'avait jamais été personnellement attaché à l'argent, comme un Grandet. Une des légendes les mieux fondées qui couraient sur son compte, au temps où il sortait, était qu'il empruntait souvent de petites sommes d'argent à ses associés. En ce temps-là, il cultivait soigneusement la réputation qu'il avait de ne jamais avoir d'argent sur lui pour décourager quiconque se serait imaginé devenir riche en lui pointant un revolver dans les côtes.

Non seulement il ne portait pas d'argent sur lui, mais il évitait que de grosses sommes s'accumulent sous son nom. Durant toutes les années 50, sa seule source de revenus personnels était son salaire de cinquante dollars de président de la Hughes Tool Co. Il démissionna de ce poste au début des procès de la T.W.A. pour ne plus être sujet à assignation. À partir de 1960, il ne touchait plus un centime de salaire d'aucune de ses entreprises.

Quand on est très riche, il est facile de très bien vivre sans argent. Pendant des années, son organisation eut un compte à la succursale Hollywood Sud de la Bank of America sous le nom de L.M. Company. L.M. étaient les initiales de Lee Murrin, petit homme à la voix et aux manières égales, employé de la Hughes Productions, société de cinéma désormais fantôme dont les bureaux se trouvaient à Romaine. Lee Murrin était « l'argentier personnel » de Hughes, c'était une sorte de carte de crédit vivante. La L.M. Company n'existait pas, ce n'était qu'un compte en banque. Dans une déposition au sujet des affaires financières de Hughes, Murrin, à qui l'on demandait de décrire la L.M. Company, devait dire :

— C'est... à vrai dire, je n'en sais rien !

Les factures de Hughes — et avant son divorce, celles de Jean Peters — étaient envoyées à Romaine. Murrin les payait en tirant des chèques sur le compte de la L.M. Company. Le compte de L.M. Co. était périodiquement réapprovisionné par un autre compte à Houston. À la fin de l'année, un comptable de Hughes discutait avec un agent du fisc pour trier les factures imputables aux frais professionnels, donc déductibles, et les dépenses ordinaires de Hughes. On faisait la somme de ces dépenses et la Hughes Tool Co. versait à son seul actionnaire un dividende d'un montant égal.

C'est ainsi que Hughes avait un revenu personnel — à ne pas confondre avec le revenu de ses sociétés — infime. Noah Dietrich devait dire que, dans les années 50, alors que les bénéfices annuels de la Hughes Tool Co. se chiffraient par millions de dollars, Hughes payait parfois moins de vingt mille dollars d'impôts personnels par an.

Ses sociétés devenaient de plus en plus riches, mais les revenus personnels de Hughes n'augmentaient pas en proportion. La parcimonie de ses sociétés envers leur propriétaire était le fait de Hughes : il lui suffisait de savoir qu'en fin de compte tout lui appartenait.

Quand il se vit obligé de payer cent soixante-dix millions de dollars à la T.W.A., il n'avait que deux solutions : emprunter ou vendre.

S'il se décidait à vendre, il n'y avait que trois possibilités : il pouvait vendre la fabrique de trépans paternelle, ses terrains ou ses casinos de Las Vegas. La Hughes Aircraft faisait des bénéfices énormes, mais il n'était plus question de la vendre : après la désastreuse crise interne des années 50, il avait transféré toutes les actions de Hughes Aircraft à l'Institut médical Howard Hughes. Hughes était le seul membre du conseil d'administration, mais l'Institut avait un statut légal d'association sans but lucratif, et il ne pouvait retirer ses actions pour les vendre pour son usage personnel.

Un mémo écrit en 1969 à Maheu pouvait laisser prévoir la décision de vendre Toolco. Hughes disait alors qu'il avait l'intention de conserver ses casinos « indéfiniment ».

« C'est une décision irrévocable ; j'ai même l'intention d'acheter d'autres hôtels : je veux mettre sur pied la plus grosse entreprise du genre aux États-Unis, c'est une activité qui me plaît. »

Les casinos étaient *ses* acquisitions, la Toolco était le monument que son père s'était érigé.

Il mit en vente la Hughes Tool Co. originelle, pas la Hughes Tool Co. de 1972. La Hughes Tool Co. était devenue le parapluie qui couvrait toutes ses autres entreprises, et la société de son père n'était plus que la « succursale de trépans ». Il détacha l'usine de trépans de Houston et forma une « autre société mère » pour coiffer ses autres entreprises. Le nom de « Hughes Tool Co. » restant attaché à la fabrique de trépans, la nouvelle société mère fut appelée « Summa Corporation ».

La vente de la Toolco et la création de la Summa obligent à mettre en doute la qualité du jugement financier de Hughes, et du contrôle qu'il exerçait sur ses affaires.

Cinq millions d'actions de la nouvelle « Hughes Tool Co. » furent mises sur le marché à trente dollars chacune. En moins d'un an, elles atteignirent la cote de soixante-quinze dollars à la Bourse de New York. L'action atteignit cent dollars puis fut divisée : deux actions pour une. En 1976, l'action variait entre quatre-vingt-quinze et cent cinq dollars.

Quelles qu'aient été ses faiblesses par ailleurs, Hughes avait été, jusqu'à la période de Las Vegas, un négociateur habile. Un journaliste a pu dire de lui qu'« il avait la mentalité d'un prêteur sur gages misanthrope ». Lorsqu'on lui proposa trente dollars l'action, il protesta faiblement que « ça devrait être au moins trente-deux », puis accepta.

Sa grossière erreur d'appréciation de la valeur de la Toolco était d'autant plus curieuse que, vers les années 50, Noah Dietrich lui avait fourni une estimation, après avoir sondé les milieux financiers. Hughes, périodiquement, « comptait ses billes » en employant cette technique.

Dietrich lui avait dit que la Toolco valait entre trois cent cinquante et quatre cents millions de dollars. Cette estimation coïncide exactement avec la valeur de la Toolco établie après la vente. De plus, en 1972, la menace d'une crise de l'énergie, d'une part, de l'autre, la mise au point d'un coussinet de palier, qui augmentait la durée des trépans laissaient entrevoir une augmentation substantielle des bénéfices. De fait, l'année suivant la vente, Toolco fit plus que doubler ses bénéfices et l'action devint l'une des plus demandées à la Bourse de New York.

— Mes connaissances en matière de finances et de bourse tiendraient sur un timbre-poste, dit Gordon Margulis, mais Jack Real, qui est un homme d'affaires brillant, a été scandalisé par cette vente.

Il m'a pris à part quand Hughes eut signé les papiers autorisant la vente et m'a dit :

— Nous venons d'assister au viol financier du siècle !

Le jour de la vente, il prédisait que l'action de la Toolco allait tripler.

— Après que les intérêts de Hughes eurent été transférés à la Summa, la Summa rendit à l'usine de trépans son autonomie et son nom ; les actions de la Hughes Tool Co. furent alors mises sur le marché par la grande maison de courtage Merill Lynch, Pierce, Fenner et Smith.

Selon le magazine *Fortune,* deux représentants de Merill Lynch, Julius Sedlmayr et Courtney Ivey, se rendirent au Nicaragua le 26 septembre 1972 pour s'assurer que Hughes donnait bien son accord à la transaction. Margulis était en vacances chez lui et Stewart n'était pas de service ce jour-là, si bien que ni l'un ni l'autre n'assistèrent à l'entrevue.

Mais *Fortune* confirme ce qu'ils avaient tous deux observé : depuis que Hughes avait été forcé par les événements de Nassau, de sortir de son isolement, il recherchait les contacts. Apparemment, sa fuite en plein jour par l'escalier de secours du Britannia Beach, et le voyage à bord du *Cygnus* avec deux étrangers avaient desserré les liens qu'il avait noués lui-même, et qui l'avaient retenu dans de petites chambres pendant tant d'années. Alors, il y avait eu l'entrevue avec Somoza et Turner Shelton ; ensuite, la promenade dans le hall de l'hôtel à Vancouver ; enfin la tentative avortée d'avoir un salon avec une belle vue, au Bayshore Inn.

Selon *Fortune*, Hughes, ayant confirmé qu'il autorisait la vente de la Hughes Tool Co., ne voulait plus laisser repartir ses visiteurs : « Les deux hommes commençaient à s'agiter, craignant de manquer le vol de New York :

depuis quarante-cinq minutes, Hughes leur parlait de la Hughes Tool Co. avec parfois, leur sembla-t-il, une sorte de nostalgie... Il continua de parler de la société et de son brillant avenir jusqu'à ce que Sedlmayr lui dise qu'il fallait vraiment qu'ils s'en aillent. Hughes offrit de faire venir un avion spécial de Miami s'ils voulaient prolonger leur visite, mais ils refusèrent. »

Quand ils se levèrent pour partir, Hughes, une fois de plus, passa outre une de ses plus anciennes phobies : il serra la main des deux visiteurs du monde extérieur, malgré les microbes.

Lorsque furent annoncées la vente de la Toolco et la création de la Summa, le choix du nom de la société mère dérouta ceux qui connaissaient Hughes : le mot « Summa » vient du latin, signifie « le haut », « le sommet » et ne ressemble pas à « Hughes ». Or, Hughes donnait habituellement son nom à toutes ses entreprises : Hughes Aircraft, Hughes Air West, Hughes Sports Network, Hughes Helicopters, Hughes Nevada Operations...

On eut bientôt l'explication de cette dérogation à la règle : ce n'était pas Hughes qui avait choisi ce nom, qu'en fait il détestait ; c'était le groupe Gay-Henley-Davis.

— Tout de suite, le patron a dit : « Je déteste ce nom à la con. » Il s'en plaignait sans arrêt. Il a même dit à ses assistants de ne pas faire imprimer de grandes quantités de papier à en-tête de Summa, parce qu'il allait changer le nom.

Des mois plus tard, lors de son entrevue à Londres avec le gouverneur O'Callaghan et le président de la Commission des jeux, Hughes s'en plaignait encore :

— Je n'aime pas ce nom-là, dit-il à ses visiteurs.

Hughes n'avait pas l'habitude de supporter quelque chose qui lui déplaisait. Pourtant, le nom devait lui survivre.

Quelques semaines après la visite des représentants de Merill Lynch, Hughes chercha de nouveau à établir des contacts humains. Il fit dire au gouverneur O'Callaghan qu'il accédait à sa demande : il confirmerait en personne comment et à quels noms il entendait que soient établis les permis de ses casinos. Il demandait seulement que cette entrevue ait lieu au Nicaragua, en raison de sa santé. Les frais de voyage au Nicaragua seraient à la charge de son organisation, comme il était naturel. Le changement d'attitude était considérable, au moins par rapport à celle que les représentants de Hughes lui avaient attribuée.

Quand l'offre fut transmise à O'Callaghan, il réserva sa décision : il voulait sortir de l'impasse dans laquelle ils étaient, Hughes et lui, depuis bientôt deux ans. Mais il lui fallait également maintenir la dignité de l'État du Nevada, qui avait été compromise par la servilité de son prédécesseur. Le gouverneur ne voyait pas d'objection à se rendre au désir de Hughes, si le voyage de Carson City devait réellement lui être pénible ; mais il en voyait à le rencontrer sous l'égide d'un dictateur latino-américain.

Le 23 décembre, la question fut tranchée par un tremblement de terre qui secoua Managua, la capitale du Nicaragua, et la détruisit en grande partie. Il y eut des milliers de victimes et, durant vingt-quatre heures, personne ne sut si le milliardaire était du nombre.

À l'hôtel Intercontinental, à l'étage au-dessous de la suite de Hughes. C'était la veille du soixante-septième anniversaire de Hughes. Stewart se demandait s'il allait offrir un petit cadeau à son employeur, ou une carte de voeux, mais il abandonna l'idée. Hughes n'aimait pas les anniversaires : il ne s'intéressait pas à celui de ses assistants, et n'aimait pas qu'on lui rappelle le sien.

— Tout à coup, j'ai entendu un énorme grondement qui s'amplifiait de seconde en seconde, raconte Stewart.

Puis le plancher se souleva, la carafe d'eau fut projetée à travers la chambre, et je fus jeté en bas de mon lit. Je me précipitai à la fenêtre pour voir ce qui se passait : tout l'hôtel était secoué, c'était pourtant un bâtiment solide. J'ai attrapé mes lunettes, mis une chaussure, essayé d'allumer. L'électricité ne fonctionnait plus, les générateurs de l'hôtel non plus. J'ai allumé une bougie, trouvé mon autre chaussure, je me suis habillé, j'allais monter chez le patron. La porte de ma chambre était coincée et refusa de s'ouvrir. J'ai pris mon élan et l'ai enfoncée, j'ai couru vers les escaliers.

Il y avait beaucoup d'hôtesses de l'air dans l'hôtel : de ma vie je n'avais vu autant de filles nues courir à la fois dans tous les sens.

L'assistant de service était Jim Rickard.

— Occupe-toi du patron ! dit-il à Stewart, moi, je vais m'occuper de ma famille.

Rickard et trois autres assistants avaient la visite de leur femme ou de membres de leur famille.

Hughes avait bien failli être blessé par la chute de l'ampli de son projecteur : Rickard l'avait attrapé au vol au moment où il allait tomber sur le milliardaire.

— Hughes était nu dans son lit. La pièce bougeait toujours, on aurait cru que l'hôtel allait s'effrondrer comme un château de cartes.

Le patron était sûrement l'homme le plus calme de Managua. Il n'arrêtait pas de dire que tout irait bien. Il n'avait pas l'air anxieux de sortir de l'hôtel. Il me demanda quelle était l'étendue des dommages.

J'ai foncé à la fenêtre, j'ai regardé et lui ai dit que toute la ville était en train de s'écrouler. Je ne sais pas s'il n'a pas entendu, ou pas compris, en tous cas, cela n'eut pas l'air de l'émouvoir. Il parla même de regarder un film.

Stewart tenta de faire passer quelques vêtements au milliardaire, mais il ne put trouver un seul de ses caleçons. Hughes disait que cela n'avait aucune importance, qu'il allait lui en emprunter un.

— Je lui ai crié qu'il ne lui irait pas, qu'on en mettait deux comme lui dans un de mes caleçons.

D'autres assistants entrèrent, et une discussion s'éleva pour savoir s'il fallait emmener Hughes à l'extérieur ou pas. À ce moment, quelqu'un de l'hôtel arriva et leur dit que tout le monde devait évacuer immédiatement le bâtiment.

Stewart finit par trouver un caleçon, le vieux peignoir de Hughes, et ses savates. Il habilla le milliardaire ; avant de partir, celui-ci demanda à Stewart de prendre sa pharmacie.

— Cette boîte était toujours la première chose à laquelle pensait le patron. Il allait jamais nulle part sans elle, dit Stewart.

Les autres assistants avaient fini d'évacuer leurs familles. Le petit groupe mit Hughes sur une civière. Comme le tremblement de terre avait mis les ascenseurs hors d'usage, ils furent obligés d'emprunter l'escalier. Il servait à l'hôtel à stocker ses réserves de matelas, et deux assistants durent aller dégager un passage.

Il y avait deux Mercedes appartenant à l'organisation dans le stationnement de l'hôtel. Ses hommes mirent Hughes sur le siège arrière de l'une d'elles et Stewart s'assit à côté de lui ; ils allèrent sur un terrain de base-ball voisin. L'hôtel était toujours secoué par des ondes de choc et ils arrêtèrent la voiture en terrain découvert pour ne pas être écrasés si le bâtiment s'effondrait.

Quand les secousses cessèrent, Stewart retourna à l'hôtel et revint avec un traversin et une couverture pour Hughes. Dès que celui-ci fut bien installé, il s'endormit.

Le soleil se leva sur un spectacle de dévastation et de chaos. Il y avait plus de cinq mille morts, et les deux tiers des trois cent vingt-cinq mille habitants étaient sans abri. Près du lac Managua, une énorme fissure avait englouti maisons, voitures et habitants. Des incendies faisaient rage dans les ruines ; les conduites d'eau étaient coupées, les fils électriques, par terre. Autour de l'hôtel grouillaient des patrouilles qui pourchassaient les pillards.

Sur la suggestion de Hughes, Stewart et le milliardaire parcoururent la ville en ruine à la recherche d'un groupe électrogène.

— Je ne sais pas ce que nous en aurions fait si nous en avions trouvé un, dit Stewart. Le patron était effrayé par la fumée et la poussière qui s'élevaient des ruines. Il n'arrêtait pas de dire que l'on ne pouvait pas passer par ces rues enfumées. Au bout d'un moment, on réussit à joindre Somoza, qui nous suggéra d'emmener monsieur Hughes dans une villa avec piscine qu'il possédait dans les environs.

Eckersley laissa Hughes et Stewart à la maison de Somoza où Stewart installa le milliardaire dans une sorte de grande « cabana » près de la piscine. Eckersley retourna dans la ville en ruine pour voir ce qu'on pouvait faire et Stewart resta aux côtés de Hughes.

— Il se plaignait que la lumière était trop forte, alors j'ai tendu la couverture devant la fenêtre pour l'atténuer. Il avait également peur d'être vu par les soldats qui gardaient la villa. À ce moment, je me servais de mon canif pour fixer la couverture devant la fenêtre : dans ma hâte, je me suis ouvert le pouce et j'en porte encore la cicatrice.

Hughes semblait étrangement détaché de la désolation qui l'entourait.

— Il ne me demanda pas une fois le nombre de morts. À un moment, il me dit qu'il faudrait faire envoyer de l'argent par l'organisation pour reconstruire les hôpitaux. Plus tard, on devait me dire que Bill Gay s'était opposé à ce que l'organisation envoie un centime au Nicaragua.

Pendant que je m'occupais de lui, il me dit :

— Mell, je connais mes vrais amis, maintenant. Vous avez fait plus que votre devoir, bien plus.

Il m'a alors demandé combien j'étais payé. Quand je lui ai dit, il a été indigné. Il m'a dit qu'il voulait que mon salaire soit désormais le même que celui des autres assistants, mais après le tremblement de terre, il n'en a plus jamais été question.

L'un des assistants avait réussi à trouver un avion à l'aéroport de Managua pour Guatemala-City, d'où il télégraphia à Romaine d'envoyer un avion les chercher. Un autre se débrouilla pour rapatrier les familles aux États-Unis dans un avion-cargo de l'aviation américaine.

Quand l'avion arriva pour évacuer Hughes, une âpre discussion éclata à l'aéroport : presque toute la place disponible dans l'avion était occupée par les dossiers et les appareils qu'ils devaient emmener.

— Hughes ne voulait pas emmener Fred Jayka et John Peterson, un autre employé, parce qu'ils ne l'avaient jamais vu, dit Stewart. Il allait tout bonnement les abandonner dans cette ville en ruine.

Jim Rickard fit acte d'autorité : il dit qu'il n'était *absolument pas question* de les laisser là. Ce fut une des rares fois où quelqu'un s'opposa ouvertement à la volonté du patron. Savez-vous ce qui arriva ? Le patron fit marche arrière et acquiesça.

L'avion s'envola ; les hommes étaient épuisés, à bout de nerfs, et n'avaient pas de plan d'action bien défini. On prendrait des dispositions à Fort Lauderdale. Hughes resta à bord de l'avion pendant que ses hommes se relayaient pour appeler Romaine et Chester-Davis.

— Hughes ne voulait absolument pas s'attarder en Floride, dit Stewart ; il disait que cela soulèverait tout un tas de problèmes d'assignations et de procès.

Finalement, il fut d'accord pour une courte escale en Floride et on le mit à l'abri. Francom et Stewart reçurent la permission d'aller passer les vacances de Noël avec leurs familles dans l'Utah.

— Je suis arrivé très tard chez moi, j'ai embrassé ma femme et je me suis écroulé de fatigue sur le lit, dit Stewart. Je n'ai passé que sept heures à la maison, car le lendemain matin, pendant que nous étions en train de déballer les cadeaux, j'ai reçu un coup de téléphone de Romaine : on m'annonçait le départ pour Londres et on m'ordonnait de rejoindre la Floride au plus vite. Il y avait des fois où être au service de Hughes ça ressemblait beaucoup à l'armée...

...Au lieu de passer Noël en famille, je l'ai passé en avion. Vingt-quatre heures s'étaient écoulées depuis mon départ de Floride quand j'y débarquai de nouveau. Peu après, nous avons mis Hughes dans un avion et nous sommes partis pour Londres. L'avion a fait escale dans le nord de l'État de New York, à Terre-Neuve et en Irlande. Quand nous sommes arrivés à Londres, tout était prêt pour nous recevoir. Nous avons conduit monsieur Hughes à l'Auberge du Parc, qui appartient aux Rotschild. Quand il fut bien installé, je suis tombé sur mon lit et j'ai dormi quarante-huit heures d'affilée.

Margulis eut un peu plus de chance. Il était en congé et put passer le jour de Noël avec Pat et leur jeune fils. Il reçut la nouvelle inattendue du départ pour Londres le lendemain de Noël. Il prit un avion pour Los Angeles pour attraper celui de Londres ; un messager de Romaine l'attendait à l'aéroport, pour lui remettre dix-huit bulletins pour des bagages qui étaient déjà embarqués. Il ne savait pas où était Hughes dans Londres, mais il y aurait quelqu'un à l'aéroport.

— Il n'a même pas pu me dire *qui* m'attendait parce que tout avait été décidé à la hâte, poursuivit Stewart. Alors je suis arrivé à Londres avec cette énorme quantité de bagages. J'en avais suffisamment pour faire passer Elisabeth Taylor pour une débutante ! Le douanier regarda la pile de bagages, me regarda, et me demanda si tout cela était à moi. Je dus dire que oui, puisqu'il ne fallait jamais prononcer le nom de monsieur Hughes. Il me demanda ce qu'il y avait dedans. J'avouai n'en rien savoir ; ça pouvait aussi bien être les dossiers du patron, qu'un nouveau stock de films, ou une réserve de mouchoirs et de serviettes en papier « isolants », ou les trois à la fois...

...Les autorités de l'aéroport devinrent méfiantes. Margulis avait un passeport britannique et on y voyait qu'il était entré et sorti de nombreux pays et qu'il était domicilié à Las Vegas. En Angleterre, il y a des gens qui pensent automatiquement à la pègre quand il est fait mention de Las Vegas. Ils m'ont demandé où j'allais à Londres et j'ai dû répondre que je n'en savais rien ; j'ai dit que j'attendais quelqu'un qui me dirait où aller. Ils m'ont demandé qui était cette personne et j'ai dû répondre que je ne le savais pas. Alors, ils se sont consultés et un policier est venu me demander si j'accepterais d'être fouillé. Ils s'imaginaient avoir entre les mains quelque messager international de la Mafia. Je leur ai dit d'y aller, et ils s'assurèrent que je n'avais pas d'arme. C'était vraiment dommage de ne pas pouvoir leur dire que je travaillais pour Howard Hughes ; ça aurait tout expliqué.

À ce moment, arriva un messager hors d'haleine qui fit passer la douane à Margulis et aux bagages.

— Il m'a dit que tout le monde était à l'Auberge du Parc. Mais il ne savait pas dans quelles chambres ; en arrivant à l'hôtel, je savais que ce n'était pas la peine de demander monsieur Hughes, il ne s'inscrivait jamais sous son nom. Alors, j'ai demandé Allen Stroud.

— Désolé, monsieur, nous n'avons pas de client de ce nom.

— Je me retournai et vis... Allen Stroud. Je lui ai dit comme j'étais content de le voir !

Avec tout l'argent et tout le personnel dont elle disposait, il y avait vraiment des moments où l'organisation n'était pas un modèle d'efficacité.

12

UN AVIATEUR DE SOIXANTE-SEPT ANS

Le séjour à Londres commença sous de bons auspices: deux semaines après l'arrivée de Hughes à l'Auberge du Parc, la Cour suprême fit connaître son verdict final dans l'affaire de la T.W.A. contre Howard Hughes: ce dernier n'était coupable d'aucune faute de gestion. La demande en dommages et intérêts (qui atteignait maintenant la somme de cent soixante-dix millions de dollars) était rejetée.

Les journalistes britanniques se bousculaient pour savoir quelle était la réaction du milliardaire. Un assistant fut autorisé à dire que monsieur Hughes était «absolument ravi».

Chester Davis l'était aussi, il y avait de quoi; douze années de batailles judiciaires en avaient fait un homme riche... mais il n'y a pas que l'argent dans la vie: son habileté juridique recevait la plus éclatante des confirmations. Pour Chester Davis, c'était une sorte de conte de fées. Le verdict de la Cour suprême était motivé par un point qu'il avait soulevé au tout début des procès:

Hughes ne pouvait être attaqué au nom de la loi anti-trusts puisque la Commission de l'aviation civile l'avait autorisé à gérer la compagnie aérienne. En ce jour, à marquer d'un caillou blanc, du 10 janvier 1973, après douze années d'amères défaites, Chester Davis pouvait savourer son triomphe.

Par contre, ce n'était pas une heure de gloire pour le système judiciaire américain : le verdict de la Cour suprême signifiait en fait que les tribunaux ordinaires s'étaient trompés pendant douze ans, en passant tout simplement à côté du point essentiel. Dans son rapport minoritaire, le juge Warren Burger regrettait tout le temps et tout l'argent perdus pour en arriver à des conclusions qui auraient pu être acquises des années plus tôt.

« On exagérerait à peine si l'on comparait ce procès à la suite contemporaine du roman de Dickens, écrivait-il. Dickens lui-même n'aurait pas imaginé que cinquante-six mille heures de travail d'avocats et sept millions cinq cent mille dollars représenteraient les frais d'une seule des parties dans un conflit entre sociétés industrielles d'aujourd'hui, sans compter les heures perdues par la direction et les cadres. En fait, la solution à laquelle on arrive aujourd'hui est une surprise pour tout le monde : pour certains d'entre nous aussi bien que pour les deux parties. Même pour les vainqueurs, j'imagine, car dans les représentations verbales faites devant la cour, quelques phrases seulement portaient sur le point qui a décidé de toute l'affaire. »

Dans son roman *La Maison triste,* Dickens a fait remarquer que le grand principe du droit anglais est de « faire durer le plaisir ».

Cette « prime » de cent soixante-dix millions donna à Hughes, à qui déjà ses brefs contacts avec le monde extérieur avaient fait beaucoup de bien, un regain d'énergie extraordinaire. Depuis des années il avait envie de piloter à nouveau — de prendre lui-même les commandes d'un avion — et il en parlait souvent. Maintenant, il avait *décidé de le faire.*

Mais, s'il se remettait à piloter, il allait falloir qu'il s'habille : on l'imaginait difficilement aux commandes d'un avion à réaction, en caleçon, un vieux peignoir sur le dos !

Margulis fut chargé d'équiper Hughes pour cette remontée aux heures de gloire de sa jeunesse.

— Je suppose qu'on m'a choisi parce que j'étais londonien et que je devais connaître les meilleurs fournisseurs. J'ai donc choisi ce qu'il y avait de mieux ; nous sommes allés chez Simpson : c'est hors de prix. J'avais toujours rêvé d'acheter des vêtements chez Simpson.

Margulis était accompagné de Jack Real, qui avait à peu près la taille de Hughes, six pieds quatre pouces.

— J'ai acheté huit chemises bleues (quatre à manches courtes et quatre à manches longues) et deux complets. Je n'ai demandé le prix de rien. Je ne sais pas ce qu'ont bien pu penser les vendeurs : je demandais à Jack :

— Aimez-vous cela ?

— Ça va.

— D'accord, on le prend.

...Quand j'ai eu acheté ces vêtements, monsieur Hughes décida qu'il voulait un blouson de vol en cuir comme celui qu'il portait dans les années 30. Nous avons fait tout Londres avant d'en trouver un chez un fripier. Puis nous nous sommes aperçus qu'il n'avait plus son feutre, celui que Mell avait eu tant de mal à dénicher à Las Vegas. On l'avait probablement perdu dans le tremblement de terre à Managua. Il fallait donc que je trouve un

Stetson à bords larges, ce qui ne se trouvait pas sous le pas d'un cheval, à Londres, en 1973...

...J'en ai repéré chez Dunn's. Nous avions de la chance : ils avaient la bonne taille. Puisque que nous l'équipions de pied en cap, j'esayai de lui renouveler son stock de caleçons, car il n'en avait plus que deux. Mais à supposer qu'il eût à Londres un magasin qui vendait des caleçons à cordon, je ne sus pas le trouver.

La question des caleçons fut résolue par les moyens du bord : Fred Jayka, celui que Hughes voulait laisser à Managua, dit qu'il savait couper et coudre et qu'il serait heureux de tailler quelques caleçons pour le milliardaire. On envoya chercher quelques mètres de tissu de lin, et Jayka, un vieux caleçon lui servant de patron, tailla et cousit quelques caleçons comme Hughes les voulait, sans boutons.

— Le vieux Fred valait vraiment le coup d'oeil, assis à un bureau, en train de coudre les caleçons du patron, avec ses lunettes au bout du nez ! Nous avons commencé à l'appeler « grand-maman » !

— Avec ses chemises légèrement trop grandes, dit Stewart, son blouson de chez le fripier, son pantalon de chez Simpson, ses sous-vêtements faits à la maison et son Stetson de 1940, tout neuf, Hughes était prêt à piloter de nouveau.

— Il avait soixante-sept ans, dit Margulis, n'avait pas piloté depuis au moins douze ans, et sa vue était si basse qu'il ne pouvait pas lire sans sa loupe. Il ne pesait pas beaucoup plus de cinquante kilos et sa coordination était très mauvaise. Il se déplaçait et quelquefois, quand il revenait de la salle de bains, il me fallait cinq bonnes minutes pour le réinstaller confortablement dans son lit.

En plus de tout cela, il n'avait plus de permis de pilotage valide. Son dernier certificat médical avait expiré à la fin des années 50. Pendant plusieurs années, plutôt que de se voir rejeté à l'examen médical, il s'en était tout simplement passé.

Aucun membre de l'entourage du milliardaire n'allait élever la moindre objection sur la légalité de son projet. Mais personne n'avait envie de l'accompagner.

— D'habitude, les assistants jouaient des coudes à qui serait plus près du patron, dit Margulis, mais quand il voulut absolument piloter, ils jouèrent des coudes dans l'autre sens !

Stewart dit les choses crûment :

— Tout l'argent de Hughes ne me ferait pas monter dans un avion piloté par lui !

L'un des assistants pressentit Margulis.

— Je lui ai répondu que je ne pouvais pas y aller parce que c'était contraire à ma religion, dit Gordon.

— Que voulez-vous dire ? Comment le fait de monter dans un avion peut-il être contraire à votre religion ?

— Je suis un lâche orthodoxe !

Jack Real fit venir un avion à réaction à l'aérodrome de Hatchfield. Mais il fallut faire face à quelques difficultés : Hughes voulait que le fuselage soit modifié de façon à ce qu'on puisse le hisser directement dans le cockpit. Real lui dit que ce n'était pas possible.

Real avait recruté un jeune pilote anglais, Tony Blackburn, pour voler avec Hughes. Personne ne pensait sérieusement que Hughes, à son âge et dans son état, voudrait réellement piloter l'avion au décollage et à l'atterrissage ; il s'assiérait à la place du copilote et pourrait prendre les commandes un moment, une fois l'appareil en vol.

Quand on communiqua ces dispositions, avec toute la diplomatie possible, au milliardaire, il objecta vigoureusement :

— Qu'est-ce que vous voulez dire ? Moi, copilote ? Je n'ai jamais été copilote de ma vie !

Blackburn, qui avait toute la vie devant lui, fut inflexible. Il fit dire à Hughes que celui-ci serait *son* copilote ou qu'il lui faudrait chercher quelqu'un d'autre. Hughes grommela, mais s'inclina.

Finalement, un matin, Margulis reçut l'ordre de préparer les sandwiches au poulet, ce qui signifiait que Hughes allait partir en avion. Il en fit un paquet, y ajouta la bouteille d'eau Poland réglementaire et aida Hughes à descendre de sa cachette, par l'ascenseur de service, dans le garage de l'hôtel. Avec son feutre à larges bords et son blouson de cuir, l'homme qui avait battu le record de vol autour du monde presque quarante ans auparavant monta dans une vieille limousine Daimler et partit retrouver les joies des jours anciens.

Avec Blackburn fermement installé aux commandes, Hughes « pilota » deux ou trois fois. Real, John Holmes et Jim Rickard accompagnèrent le milliardaire.

— Le pauvre John n'était pas très flatté de cet honneur, dit Margulis. C'était le genre de gars qui attachait sa ceinture de sécurité au ciné-parc ! Mais il fallait qu'il y ait quelques assistants avec Hughes en cas d'atterrissage forcé.

Il n'y eut qu'un incident, encore arriva-t-il au sol.

Quelqu'un de l'entourage avait de bonnes relations avec un journaliste du *Daily Mail* et bavarda étourdiment. Au retour de l'un des vols, un journaliste et un photographe suivirent la Daimler, puis se portèrent à sa hauteur et le photographe prit une photo de Howard Hughes, ou crut la prendre !

— Jack Real repéra le photographe juste à temps et jeta un journal sur la tête du patron, dit Margulis. Le *Daily Mail* publia une grande photo d'un homme avec un journal sur la tête : en plus de quinze ans, c'était la première fois qu'un photographe ratait le patron d'aussi près !

En mars, Hughes décida qu'il était temps de sortir de l'impasse avec l'État du Nevada. Le plan de réorganisation des casinos était au point mort depuis plus de deux ans et l'État n'avait toujours pas mis le nom de Chester Davis sur le permis de Hughes. Tous les efforts de l'organisation pour plier le gouverneur O'Callaghan à la volonté du milliardaire avaient échoué.

Un message fut envoyé à Bill Gay qui avait déjà invité le gouverneur au Nicaragua : Hughes accorderait à celui-ci et au président de la Commission des jeux, Phil Hannafin, une entrevue à Londres. Le message avait un post-scriptum fait pour réjour Bill : Hughes avait pris la décision inattendue d'autoriser Bill Gay et Chester Davis à assister tous deux à l'entretien.

De même que personne au Nevada n'avait su, avant sa chute, que Robert Maheu ne voyait Hughes en personne, de même personne, à part la Garde du Palais, ne savait que Bill Gay n'avait pas vu son patron depuis plus de dix ans. Et Chester Davis, l'artisan du triomphe sur la T.W.A., n'avait jamais vu son principal client.

Les assistants accueillirent avec calme la nouvelle de l'entrevue avec le gouverneur ; mais l'arrivée imminente de Bill Gay suscita l'émotion. Les chefs du groupe inondèrent leurs subordonnés d'un déluge de recommandations sur la façon de se conduire quand le directeur ferait son apparition. Les gardes extérieurs, dont on avait retenu les services sur place, furent informés que monsieur Gay avait un rang élevé dans la hiérarchie et qu'il fallait le traiter avec déférence. Les employés, qui avaient l'habitude d'aller et venir dans la suite coupée du monde en tenue négligée, reçurent l'ordre d'avoir une tenue plus soignée et de porter complet et cravate. Pas de chahut ni de farces !

— À voir l'émoi que causait la visite de Bill Gay, on aurait pu croire que c'était le pape, dit Mell Stewart.

La déférence témoignée à Gay était le signe extérieur de la puissance qu'il avait acquise avec le temps. Margulis et Stewart avaient discrètement observé de l'intérieur comment les choses s'étaient passées. Les messages téléphoniques et les mémos de Gay étaient immédiatement transmis à Hughes. Toutes les autres dépêches en provenance de l'empire attendaient qu'on obtienne au téléphone le feu vert de la Summa ; les nouvelles et les renseignements défavorables étaient détournés, tandis que Hughes recevait constamment des informations présentant Bill Gay sous un jour favorable.

— Les assistants allèrent jusqu'à raconter que Bill Gay gérait si bien ses casinos que les directeurs de tous les casinos du « Strip » le consultaient une fois par mois, dit Margulis. Quand je suis retourné à Las Vegas je connais pas mal de gens dans le milieu des casinos, là-bas, j'en ai profité pour vérifier l'histoire : tout le monde secouait la tête en rigolant.

Stewart, lui aussi, se heurta au contrôle des informations : comme il était l'infirmier de Hughes, le milliardaire était très réticent pour lui accorder le même rythme de travail qu'aux autres (quinze jours de travail, quinze jours de repos) ; pour apaiser Mell, Hughes lui dit qu'il pouvait faire venir sa femme et ses enfants à Londres, aux frais de la Summa.

— Mais quand j'ai demandé l'argent, les assistants m'ont dit que le patron avait changé d'idée. Je le lui ai répété, il m'a affirmé que ce n'était pas vrai. Ils m'ont finalement donné de quoi faire venir ma famille deux semaines à Londres et ils n'étaient pas contents que je les aie coincés. Mon travail était de prendre soin de monsieur Hughes, pas de m'attirer les bonnes grâces de Bill Gay. Quand il est arrivé à Londres et qu'il monta à la suite, le garde se mit au garde-à-vous, comme les types, à Buckingham Palace, quand la reine arrive. J'étais assis en peignoir, les pieds sur le bureau, en train de manger une côtelette d'agneau. J'ai regardé Gay, lui ai fait un signe avec ma côtelette et lui ai dit :

— Salut, m'sieur !

Le garde faillit éclater de rire.

L'entretien avec le gouverneur eut lieu la veille de la Saint-Patrick. Le gouverneur arriva dans la matinée, accompagné d'Hannafin, descendit dans un autre hôtel et vint à l'Auberge du Parc après minuit.

Hughes, accompagné de Davis, Gay, Myler, Francom et Rickard, reçut les deux personnalités du Nevada, en peignoir. Il avait un appareil auditif et, après un échange d'amabilités, on se mit au travail. L'entrevue dura un peu plus d'une heure. Une fois encore, il serra la main de ses visiteurs à leur arrivée et au départ.

Quand la rencontre fut connue, les sceptiques s'empressèrent de dire que l'entourage de Hughes avait mené en bateau Hannafin et le gouverneur en leur présentant un double.

— Ça ne tient pas debout, dit Margulis, approuvé par Stewart. À notre connaissance, au cours des dix dernières années, ça n'est jamais arrivé, que Hughes soit remplacé par un double.

L'homme que virent les deux personnalités du Nevada était bien coiffé et bien tenu. Après l'entrevue, le gouverneur se refusa à toute déclaration publique sur l'apparence et l'éclat de Hughes et déclina toutes les offres qu'on lui fit d'écrire un compte rendu de son entretien avec le plus fantomatique de tous les propriétaires de casinos du

Nevada. Mais dans le privé, il réfuta toutes les histoires qui couraient sur son allure bizarre. Il ne pouvait pas savoir que si l'entretien avait eu lieu aussi tard, c'est parce que Mell Stewart avait passé des heures à coiffer Hughes et à lui couper les ongles.

Une ombre planait sur cette rencontre entre O'Callaghan et Davis : ce dernier avait offensé le gouverneur, au moment de la chute de Maheu, en disant du mal de Harry Reid, ami intime et protégé politique de O'Callaghan, et lieutenant-gouverneur du Nevada.

— Ce type-là est un bravache, avait dit le gouverneur à ses intimes, et je n'aime pas les bravaches.

Cependant, un des participants à la rencontre de Londres devait dire que Davis avait été « doux comme un mouton ».

Hughes confirma à O'Callaghan et à Hannafin qu'il approuvait les changements proposés aux permis pour les casinos, y compris la nomination de Chester Davis. C'était tout ce que le gouverneur voulait savoir et les deux hommes repartirent pour le Nevada le lendemain matin.

Le litige au sujet des casinos avait mis vingt-sept mois à se régler. Hughes avait toujors été un temporisateur notoire, mais ce n'est pas son indécision qui avait retardé de plus de deux ans la délivrance d'un permis au nom de Chester Davis.

Il s'agissait de savoir qui était le plus fort : le gouverneur élu ou la pression économique de l'empire Hughes. Avec le recul, ce qui apparaît intéressant c'est que la question ait même pu se poser.

Bill Gay vint à Londres avec une proposition à faire à Hughes. Depuis des mois, des dessinateurs et des architectes travaillaient sur un projet pour Las Vegas qu'il avait lui-même imaginé. Le projet était suffisamment vaste et audacieux pour plaire au milliardaire : c'était un

« centre de la mode » qui devait s'élever sur « Strip » entre les deux hôtels de Hughes, le Desert Inn et le Sands.

Ce « centre de la mode » avait été conçu par une entreprise Hughes que venait de créer Gay : « Archi-System ». Elle était formée d'urbanistes, d'architectes et de dessinateurs travaillant en équipe à des projets intégrés de développement urbain. Les collaborateurs avaient madame Otis Chandler, femme de l'éditeur du *Times* à Los Angeles, qui avait suivi des cours d'urbanisme. Il y avait là beaucoup de talent, mais pas encore beaucoup de commandes. Gay leur avait fait construire une maquette détaillée de son « centre de la mode », pour que Hughes puisse admirer en miniature le projet visionnaire de son collaborateur.

Comme Chester Davis, qui avait persévéré douze ans malgré des échecs répétés, avant de triompher, Gay rêvait de revanche : dans les années 60, il avait créé et géré une entreprise Hughes, la Hughes Dynamics, aventure ambitieuse dans le domaine prometteur des ordinateurs. Cette entreprise n'avait jamais « décollé », bien que Gay ait installé de magnifiques bureaux au Kirkeby Center, à Westwood. Il avait commandé une moquette si épaisse qu'il avait fallu la monter de l'extérieur par hélicoptère et la faire passer par une fenêtre pour la poser.

Bob Maheu affirma, plus tard, que Hughes ne connut l'existence de cette société que lorsqu'elle eut accumulé huit millions de dollars de déficit.

— C'est Jean Peters qui lui en parla, dit Maheu. Un jour qu'elle déjeunait au Kirkeby Center, le maître d'hôtel lui dit qu'il était heureux que son mari ait installé d'aussi beaux bureaux dans l'immeuble. Rentrée à la maison, elle en parla à son mari ; Hughes jeta un coup d'oeil sur la comptabilité et dit aussitôt :

— Qu'on liquide !

Les affirmations de Maheu sont corroborées par d'autres commensaux de l'empire ; ils ajoutent que la chute de la Hughes Dynamics fut pour quelque chose dans l'ascension de Maheu.

Mais ce désagrément était de l'histoire ancienne. Gay avait survécu et voulait maintenant effacer l'échec ancien par une belle réussite toute neuve.

La maquette fut déballée et mise en place dans le Bureau. Quand elle fut en place, Hughes fut informé du projet.

Il dit qu'il ne voulait pas d'un « centre de la mode » à Las Vegas. Les assistants lui suggérèrent d'aller au moins jeter un coup d'oeil à la maquette, mais il refusa : il ne voulait pas de « centre de la mode » à Las Vegas, c'était tout.

— Ils le tannèrent un bon moment, dit Mell Stewart, jusqu'à ce qu'il explose. Il avait des colères terribles quand on le poussait à bout ; j'étais là quand l'orage éclata.

— Je vous ai déjà dit, et je répète, je *ne veux pas* d'un putain de « centre de la mode » ! Qu'on ne m'en parle plus ! Vous direz à Bill Gay que son projet est à l'eau ! Vous m'entendez ? À l'eau !

Les assistants sortirent de la chambre et recouvrirent la maquette avec un drap.

— Ils vont me faire devenir fou avec leur « centre de la mode », dit Hughes.

— Quand nous avons quitté Londres, rappelle Stewart, la maquette était toujours là. Le patron ne l'a même pas regardée quand on l'a emportée.

Au cours de l'année que Hughes passa à Londres, la société Rolls-Royce eut de grosses difficultés financières. Les ennuis venaient de son incursion dans le domaine de la construction de réacteurs d'avions ; le déficit faillit engloutir les prestigieuses marques Bentley et Rolls-Royce, depuis longtemps symboles d'excellence automobile.

Hughes fut désolé quand il l'apprit. Il avait été fou d'automobiles dans sa jeunesse et il avait un jour investi cinq cent mille dollars dans la fabrication d'une voiture à vapeur qui soit supérieure à la « Stanley Steamer », sans réussir. Plus tard, il fut voué, c'était bien connu, aux Chevrolet de série, mais c'était parce que, comme personne ne remarque une Chevrolet, ces voitures satisfaisaient sa manie du secret.

Il dit plusieurs fois à Margulis qu'il allait réfléchir au moyen d'aider financièrement Rolls-Royce.

— Ce serait vraiment dommage que cette superbe voiture disparaisse.

Comme beaucoup de projets de ses dernières années, celui-ci n'aboutit pas et la Rolls-Royce survécut sans son aide.

Il envisagea également d'investir de grosses sommes d'argent dans la fabrique d'avions Lockheed, dont l'existence était menacée par les difficultés financières. Hughes en discuta plusieurs fois avec Jack Real, l'ancien vice-président de Lockheed qui faisait maintenant partie de l'escorte. La presse apprit, on ne sait comment, que Hughes avait l'intention d'aider Lockheed.

— Les assistants n'ont pas aimé ça du tout, dit Margulis. Si le patron avait de l'argent à placer, que ce soit dans le « centre de la mode » de Bill Gay !

Plusieurs fois, selon Stewart et Margulis, Hughes dit à ses assistants qu'il voulait parler à Jack Real.

— Ils sortaient un moment et revenaient dire que Real était introuvable (alors qu'il attendait dans sa chambre de pouvoir parler à Hughes), dit Margulis, et Stewart ajoute :

— Les intrigues tissées autour de Hughes étaient si épaisses qu'on aurait pu les couper au couteau.

Lockheed, comme Rolls-Royce, survécut, mais grâce à de grosses subventions du gouvernement fédéral.

La compassion de Hughes pour les choses — les voitures Rolls-Royce, les avions Lockheed — plutôt que pour les gens — victimes du tremblement de terre — résultait de l'idée qu'il s'était faite de lui-même à l'âge d'homme. À Dwight Whitney, de Los Angeles, un des derniers journalistes qu'il ait rencontré avant sa réclusion, Hughes décrivit son père comme un homme « très dur » mais doué d'une cordialité que lui-même ne possédait pas. Il était très aimé. « Pas moi, je n'ai pas son pouvoir de séduction sur les gens. »

— Je suppose que je suis différent des autres. La plupart aiment étudier les gens. Ceux-ci ne m'intéressent pas assez, sans doute. Ce qui m'intéresse, c'est la science, les différents aspects de la nature, la terre et les minerais qu'on en extrait.

Hughes et toute son escorte aimèrent Londres. Les journalistes n'étaient pas agressifs, ce qui était reposant, bien que les précautions habituelles fussent prises. Vince Kelley, ancien officier de police de Los Angeles et spécialiste en électronique de Romaine, leur fut envoyé pour installer un circuit fermé de télévision destiné à la surveillance de l'escalier de service et du palier de l'ascenseur.

Il n'y eut qu'une alerte, plutôt comique finalement, comme la « bombe » dans un sac de linge sale de Vancouver. Un « sportsman » anglais avait sa chambre à l'étage au-dessous ; il avait tué deux faisans à la chasse, et commit l'erreur de les suspendre dans un sac sur son balcon. Le lendemain matin ils n'étaient plus là : un garde vigilant avait repéré le sac et, ne voulant courir aucun risque, bricola un dispositif pour décrocher et faire tomber le sac... Un Londonien inconnu dut avoir du faisan au dîner, avec les compliments de la maison Hughes.

L'Auberge du Parc avait un inconvénient : plusieurs des médecins et des assistants aimaient jouer au tennis. Auparavant il n'y avait jamais eu de problème pour jouer sur les courts de l'hôtel, mais ici, il n'y avait pas de courts. L'un des hommes découvrit un club de tennis privé dans les environs, le Queen's Tennis Club.

Il téléphona et dit que ses amis et lui aimeraient s'inscrire. On lui répondit que c'était un *club privé*.

— Nous sommes des membres de l'escorte de monsieur Hughes, à l'Auberge du Parc ; nous ne demandons pas mieux que de payer.

Une voix britannique glaciale lui répondit que le fait de posséder suffisamment d'argent pour acquitter les droits n'était pas un critère d'admission.

Le séjour à Londres qui avait si bien commencé avec le gain de cent soixante-dix millions de dollars sur la T.W.A. tourna au désastre au début de l'été.

Levar Myler aidait Hughes à gagner la salle de bains quand celui-ci glissa et tomba. Comme il n'était guère rembourré, il se cassa le col du fémur droit. Un radiologue anglais, appelé son chevet, ne put que constater la fracture. Hughes insista pour que celle-ci fut soignée sur place. On pressentit le Dr Walter Robinson, chirurgien orthopédiste réputé, pour qu'il opère à l'Auberge du Parc. On lui dit que l'on ferait installer un bloc opératoire complet, sans regarder à la dépense.

Le Dr Robinson refusa d'opérer Hughes ailleurs que dans un hôpital.

— Je n'opérerai pas dans une chambre d'hôtel, quels que soient mes honoraires.

En conséquence, on prit des dispositions pour faire entrer Hughes à la London Clinic, où le Dr Robinson opérait. Hughes fut inscrit sous le pseudonyme de Hugh Winston.

Margulis et Howard Eckersley s'occupèrent de son transport à la clinique.

Chaque fois qu'il fallait le soulever, Hughes demandait que ce soit Margulis qui le fasse. On le descendit sur une civière que l'on glissa dans un minibus de fabrication anglaise.

— Il a été très courageux, dit Margulis. Il devait souffrir énormément. Ce sont les petits ennuis qui l'embêtaient, pas les gros. Une fois installé, il inspecta le minibus et dit :

— C'est épatant, il faut qu'on achète le même !

— À Nassau aussi, il est tombé, rappelle Mell Stewart. J'étais avec lui un jour, il est allé à la salle de bains. Tout d'un coup, j'ai entendu un bruit de chute et je me suis précipité : il était là, tout nu et, sous le lavabo me regardant piteusement : « Sortez-moi de là, Mell, me cria-t-il. J'ai dû m'enfoncer les côtes. » Je l'ai aidé à se remettre au lit et lui ai proposé d'appeler un médecin. Il m'a répondu « qu'on allait attendre un peu ». Il *détestait* que les médecins tournent autour de lui. Un ou deux jours plus tard, le Dr Chaffin finit par l'examiner et ne décela qu'un hématome.

Le Dr Thain prit une chambre à la London Clinic et assista à l'opération. Le Dr Robinson mit plusieurs heures à réduire la fracture et à placer une broche.

Thain raconte :

— J'étais dans la chambre de Hughes quelques jours plus tard, lorsqu'une infirmière entra pour faire une prise de sang. Elle se pencha sur son lit et le patron devait penser à autre chose, ou avoir oublié comment il était censé s'appeler, car elle fut obligée de dire trois fois : « Monsieur Winston », et encore c'est moi qui ai dit à Hughes que c'était à *lui* qu'elle parlait.

Quand l'infirmière lui dit qu'elle avait besoin d'un peu de son sang, il fut très poli et se montra très coopératif, ce qui était tout à fait inhabituel.

Pourtant, quelques jours plus tard, Hughes voulut quitter l'hôpital.

— On retourne à l'hôtel ! dit-il.

Sans s'occuper des objections des médecins, on le ramena à l'Auberge du Parc.

En quittant prématurément l'hôpital, Hughes montrait la même intransigeance masochiste qu'un quart de siècle plus tôt. En 1946, quand le prototype de l'avion de reconnaissance qu'il avait dessiné s'était écrasé à Beverley Hills, on l'avait retiré de l'épave en flammes grièvement brûlé, souffrant de multiples fractures, presque mort. Il fut entre la vie et la mort pendant une semaine, mais s'en sortit. Au bout de quelques semaines, il dit qu'il en avait assez de l'hôpital et ordonna qu'on le ramène chez lui. Les médecins avaient prévu toute une série d'opérations (entre autres la reconstitution d'une pommette écrasée) et ils étaient atterrés.

— Je ne sais pas comment il est sorti, dit l'un d'eux plus tard... il a dû piloter son lit d'hôpital !

Il avait continué à vivre avec une joue enfoncée, et des blessures internes et des déplacements d'organes que le temps et des soins appropriés auraient guéris ou tout au moins améliorés.

Ses reins se mirent à mal fonctionner peu de temps après. L'accident avait également aggravé une constipation chronique dont il souffrait depuis l'adolescence. Jusqu'à sa mort, il eut affaire avec des problèmes d'élimination. Depuis plus de vingt-cinq ans, il fallait le purger périodiquement. Le problème était aggravé par ses bizarres habitudes alimentaires et son penchant à tout remettre à plus tard. Une fois, à Londres, il resta constipé pendant vingt-huit jours.

Mais à Londres, comme en Californie, personne n'osa lui imposer sa volonté, même quand cela eut été raisonnable et nécessaire. Pour ceux qui le servaient, entendre un ordre c'était y obéir.

— Nous l'avons ramené à l'hôtel en passant par l'entrée des marchandises, dit Margulis. Le problème n'était pas qu'il sorte de l'hôpital trop tôt, c'était de le faire rentrer à l'hôtel sans qu'on le voie.

Je gardais une sortie de l'hôtel pendant que ses assistants le mettaient dans l'ascenseur de service. J'ai failli me battre avec deux ouvriers qui voulaient sortir de l'hôtel. Je leur ai dit qu'ils ne pouvaient pas passer par cette porte-là et nous nous sommes querellés. Je les ai retenus jusqu'à ce que les autres aient mis le patron dans l'ascenseur. Alors je suis monté pour aider à le mettre au lit.

C'est à partir de ce moment-là qu'il a commencé à décliner et, en deux ans et demi, il n'a plus jamais remarché.

En décembre, l'entourage apprit que Hughes retournait aux Bahamas. Tous ceux qui avaient vécu l'aventure du Britannia Beah se lamentèrent :

— Je ne comprenais vraiment pas pourquoi nous retournions délibérément nous fourrer dans ce piège, après avoir eu tant de mal à en sortir, dit Stewart.

— Ça n'avait aucun sens, dit Margulis. Et même les hommes les plus importants, ceux qui obéissaient sans poser de questions, même ceux-là étaient troublés. C'était comme si nous courions après les ennuis, renchérit Margulis.

Aucune explication ne fut donnée. On leur ordonna de faire les bagages et de partir.

Quelques heures après le décollage de Londres, Hughes demanda à Margulis de « mettre quelque chose pour qu'on arrête de me regarder comme ça ».

« On », c'étaient les membres de son entourage immédiat. Margulis prit une couverture, attacha des cordelettes aux coins et fixa cette espèce de rideau au milieu de la carlingue.

— C'est mieux comme ça. Avez-vous des magazines, Gordon ?

— Rien qui puisse vous intéresser, dit Margulis en lui tendant *Ring*, un magazine de boxe, et un autre de karaté.

Le magazine de karaté intéressa Hughes qui le lut soigneusement.

— C'est très intéressant, dit le vieil homme frêle. En faites-vous quand vous n'êtes pas de service ?

Margulis lui dit qu'il avait étudié le karaté avec Saul Tallbear, un expert indien de Las Vegas. Il parla longtemps avec Hughes des arts martiaux d'Orient.

À un moment donné, George Francom passa la tête au-dessus du rideau improvisé pour vérifier que tout se passait bien. Hughes en fut fâché.

— Avez-vous entendu ce que nous disions, George ?

Francom secoua la tête et retourna à sa place.

— Il faudra que nous reparlions de karaté un jour ; mais ne dites rien aux autres.

Sa petite escapade dans la vie était terminée, on l'emmenait dans un isolement encore plus sombre et plus profond qu'auparavant. Il cachait maintenant de petites conversations sans importance, même à ses hommes de confiance. Gordon promit de ne souffler mot à personne. Hughes ne lui reparla jamais de karaté.

13

LE REFUGE

C'était le sixième déplacement en trois ans de « l'asile voyageur », mais cette fois, on pouvait croire que c'était le dernier. Hughes et son escorte allèrent à Freeport, sur la Grande Bahama, au nord de Nassau. Ils s'établirent à l'hôtel Xanadu Princess qui appartenait à l'armateur Daniel K. Ludwig. Peu après, l'organisation de Hughes acheta l'hôtel, et on crut que le milliardaire avait finalement trouvé un foyer.

Quels que soient ceux qui avaient organisé le retour aux Bahamas, ils avaient bien fait leur travail. L'hostilité de 1972 avait disparu. Le gouvernement avait changé d'attitude, et le climat politique était aussi chaleureux et amical que les brises tropicales qui soufflaient du Gulf Stream.

Hughes avait bien besoin d'un refuge amical et protecteur. Il était accusé, par la cour fédérale du Nevada, de manipulations boursières frauduleuses lors de l'achat de la compagnie Air West. Alors que, devant une instance civile, il aurait pu se faire représenter par ses avocats, dans un procès criminel il devait apparaître en personne.

S'il ne se présentait pas, il pouvait être considéré comme un fugitif recherché par la justice. En plus du cauchemar que cela représenterait du point de vue de ses « relations publiques », des sanctions légales pourraient être prises contre son empire.

Hughes était maintenant impotent. Il fallait le porter à la salle de bains et le ramener, et c'étaient les seuls moments où il sortait de son lit. Le Dr Chaffin, Stewart et Margulis essayèrent, chacun à son tour, de le persuader de faire la série d'exercices prescrite par le Dr Robinson à Londres, mais il refusait obstinément, ou il temporisait.

— Le Dr Chaffin a pourtant utilisé tous les arguments, dit Margulis. Il lui a dit que Katharine Hepburn s'était aussi fracturé le col du fémur, qu'elle avait fait les exercices appropriés et qu'elle avait remarché au bout de quelques mois.

Elle avait à peu près l'âge de Hughes et il l'avait beaucoup admirée dans le bon vieux temps de Hollywood.

Hughes disait qu'il commencerait peut-être dans quelques jours, mais il ne le fit jamais.

Pendant ce temps, ses bataillons d'avocats travaillaient avec énergie pour annuler les charges retenues contre lui dans l'affaire Air West. Un juge fédéral du Nevada rejeta l'accusation une première fois pour vice de forme. Le procureur fédéral de Las Vegas, Devoe Heaton, annonça aussitôt que la chambre des mises en accusation serait établie. Heaton fut alors appelé à Washington, au ministère de la Justice, et ses supérieurs lui dirent qu'à leur avis une nouvelle accusation ne serait pas valide. Cela se sut et une équipe de journalistes du *New York Times* vint enquêter au ministère de la Justice, cherchant des signes de favoritisme politique. Le ministère de la Justice nia avoir été l'objet d'une pression quelconque de l'administration Nixon, et Heaton continua à préparer la mise en accusation de Hughes, qui fut une seconde fois rejetée ; mais la « Securities and Exchange Commission » devait plus tard intenter une action civile contre Hughes devant le tribunal fédéral de San Francisco.

Personne ne connaissait l'état du milliardaire en dehors de son petit cercle d'intimes. Jusqu'à sa chute à Londres, il se cachait par goût et sous la pression de ses phobies. Mais maintenant, c'était un grand invalide, incapable, tant physiquement que psychologiquement, d'apparaître en public.

Heureusement pour ses avocats, les Bahamas étaient un refuge d'où il n'était pas possible d'extrader une personne accusée de fraude boursière. Un mois seulement avant l'arrivée de Hughes, un magistrat local avait décidé que le traité d'extradition passé entre les îles et les États-Unis commençait à dater et ne liait plus les Bahamas. Cette décision avait été prise en faveur de Robert Vesco, agioteur qui avait fui les États-Unis avec une énorme fortune tirée du naufrage du bureau d'investissements outre-mer de Bernie Cornfield, également auteur du livre *Voulez-vous vraiment devenir riche ?*. Vesco était sous le coup de multiples accusations de fraude aux États-Unis, mais la décision du magistrat bahaméen le mettait à l'abri des poursuites. L'« expert-Hughes » du *New York Times,* Wallace Turner, remarqua l'enchaînement des faits : l'accusation contre Hughes, la « décision Vesco » faisant des Bahamas un refuge contre l'extradiction, le retour soudain et inattendu de Hughes dans ces îles. Le porte-parole de Hughes, Hannah, se montra outragé qu'on pût croire que le milliardaire était venu se cacher dans un pays où la loi des États-Unis ne pourrait l'atteindre, mais il n'expliqua pas autrement son retour dans le pays qu'il avait fui peu de temps avant dans des circonstances dramatiques.

Dans les premiers jours de septembre, le consul des États-Unis à Nassau, Marvin Groeneweg, reçut une sommation de la Cour pour Hughes dans l'affaire Air West, et prit l'avion pour Freeport pour la lui donner. Quand il demanda Hughes à l'hôtel Xanadu Princess, il lui fut répondu que la direction ne savait rien de ce monsieur. Comme l'arrivée de Hughes à Freeport avait fait beaucoup de bruit, Groeneweg insista. Il consulta le receveur de la poste, qui lui dit que l'organisation Hughes avait autorisé un de ses employés bahaméens, Vance Tynes, à prendre le courrier de monsieur Hughes. Groeneweg trouva Tynes et lui remit la sommation.

La semaine suivante, Groeneweg reçut la visite indignée de Robert Peloquin, avocat de Washington, ancien fonctionnaire du ministère de la Justice et maintenant président d'Intertel, l'agence de police privée qui comptait Hughes parmi ses clients. Peloquin dit au consul que la sommation n'avait pas été remise correctement et qu'elle aurait dû l'être en main propre pour être légale.

Groeneweg dit qu'il ne demandait pas mieux que de le faire et demanda à Peloquin s'il pouvait lui arranger un rendez-vous avec Hughes. Peloquin lui répondit « qu'aucun officier consulaire n'aurait accès à monsieur Hughes». Hughes était protégé par la « décision Vesco », le gouvernement des États-Unis dut s'accommoder de ce dédain quasi impérial.

Bien que son propriétaire fût un invalide alité, l'empire Hughes était resplendissant de santé et bourdonnant d'activité. Chaque jour, il fallait prendre des décisions et le triumvirat californien Gay-Henley-Davis s'en chargeait. Ils ne consultaient pas toujours Hughes et certaines de leurs décisions ne lui étaient pas communiquées.

La position de Gay fut renforcée par la vente de la Hughes Tool Co. : Raymond Holliday, qui en était le vice-président-directeur, était un vétéran puissant de l'empire. Il quitta Hughes et partit avec la société qu'il dirigeait. Bill Gay fut nommé vice-président-directeur de la nouvelle Summa Corporation ; il était maintenant le Numéro Un officiel, position que pratiquement il occupait depuis la chute de Maheu.

Le légendaire « centre d'opérations » de Romaine fut progressivement abandonné, jusqu'à n'être plus qu'une coquille vide. Les quartiers généraux de la Summa furent installés dans la vallée de San Fernando : c'était plus pratique pour Bill Gay qui y vivait. Les bureaux directoriaux occupèrent trois étages d'un grand immeuble, au 17000, boul. Ventura, à Encino. Tous les dirigeants, dont Gay, Nadine Henley, Kay Glenn et Robert Bennett, s'y installèrent.

Pourtant, Hughes aurait aimé que le quartier général de la Summa soit à Las Vegas, où se trouvaient les entreprises les plus actives de son empire. On ouvrit bien des bureaux de la Summa à Las Vegas, mais le centre nerveux en était bel et bien à cinq cents kilomètres de là, à Encino.

Curieusement, aucun numéro de téléphone de la Summa n'apparaissait dans l'annuaire d'Encino, alors que les bureaux possédaient un énorme standard téléphonique.

Quiconque appelait les bureaux de Las Vegas et demandait Bill Gay ou Nadine Henley pouvait être directement mis en communication avec Encino.

Un jour, au Xanadu Princess, George Francom apporta un mémorandum au milliardaire. Gordon Margulis était là. Hughes ajusta son « espion », le lut et demanda âprement :

— Qu'est-ce que c'est que ce bureau de la Summa, au 17000, boul. Ventura, à Encino?

Francom lui dit que c'était le quartier général de sa société mère.

— Hughes entra dans une colère noire, dit Margulis:

— J'ai dit à Gay que je voulais que tout soit centré à Las Vegas. Qu'est-ce qu'il est allé foutre là-bas? Un bureau en Californie nous vaudra des ennuis avec les impôts californiens. Je vais appeler Mickey West pour savoir le fin fond de l'affaire.

Francom sortit de la chambre et alla raconter aux autres ce qui se passait. Tous furent très ennuyés et décidèrent que Francom devait porter la responsabilité de sa bévue.

Un autre assistant pénétra dans la chambre et dit à Hughes que Francom s'était trompé. Il lui expliqua que George avait confondu et qu'il n'y avait qu'une petite succursale à Encino.

— Rien d'important, monsieur Hughes, juste deux petits bureaux au-dessus d'un salon de coiffure.

— Bon, alors ça va, dit le patron, calmé. Puis il oublia toute l'affaire.

Mettre en sommeil le centre de Romaine, en n'y laissant que quelques employés, devait avoir des conséquences beaucoup plus importantes: l'empire Hughes était intimement mêlé aux affaires du gouvernement des États-Unis. Par une suite compliquée d'événements rocambolesques, la quasi-suppression de l'équipe de Romaine entraîna la destruction de la couverture d'un des secrets les mieux gardés de la C.I.A.: la mission de Hughes Glomar Explorer.

Le Glomar Explorer fut lancé en 1973, et présenté comme l'instrument, inventé par l'organisation de Hughes, de l'exploration d'une nouvelle frontière: l'exploitation des riches minerais — les nodules de manganèse par exemple — des fonds des océans. Le *Glomar*, énorme bâtiment disgrâcieux, avec un énorme derrick en son milieu, construit au chantier naval de York, en Pennsylvanie, rallia la Californie en contournant l'Amérique du Sud : il était trop gros pour passer par le canal de Panama. Un compagnon du Glomar, le HMB-1 (pour Hughes Marine Barge[1]), fut construit en Californie. Il était encore plus étrange que le *Glomar :* plus long qu'un terrain de football, il ressemblait à un hangar à dirigeables ; il possédait un toit coulissant et était submersible comme un sous-marin.

On dit au public que ces deux navires avaient été construits pour ramasser les nodules de manganèse sur le fond de l'océan, au moyen d'un « aspirateur géant » installé sur le *Glomar,* et pour les traiter sur le HMB-1. On fit ainsi croire que l'organisation Hughes risquait des sommes colossales sur les capitaux privés du milliardaire pour trouver de nouvelles sources de minerais rares pour les industries du pays.

En fait, Hughes n'investit pas un centime dans le *Glomar,* qui servait de couverture à un projet de la C.I.A. — dont le nom de code était : Projet Jennifer — digne de faire naître un sourire sur les lèvres du Dr No, de Ian Fleming : on construisit le *Glomar* pour récupérer un sous-marin russe porteur d'armes nucléaires qui gisait au nord-ouest d'Hawaii par plus de cinq mille mètres de fond. Le coût de la construction, de l'armement et de la manoeuvre des deux bateaux atteignit quatre cent millions de dollars — plus de deux fois le grand barrage Hoover sur le Colorado — et fut entièrement défrayé par les contribuables et sans qu'ils le sachent. La C.I.A.

---

[1] N.D.T. : Barge de haute mer de Hughes.

espérait repêcher intact le submersible russe, et réussir une grosse opération d'espionnage en récupérant les fusées nucléaires et les codes. Dès le départ, le projet fut entouré du plus grand secret, comparable à celui qui entoura la fabrication de la première bombe atomique. Bien que quatre mille ouvriers et plusieurs centaines de membres d'équipage et de techniciens y fussent mobilisés, pas un mot ne filtra de la mission secrète en 1974. Au début de l'été, le *Glomar* rejoignit la barge submersible au large de Catalina Island, en Californie du Sud.

La barge était équipée d'une pince géante sur laquelle étaient montés des projecteurs sous-marins et des caméras de télévision. La pince avait été conçue pour enserrer le sous-marin naufragé. La barge plongea sous le *Glomar,* s'y accrocha avec sa pince, puis le *Glomar* appareilla.

Selon les rapports de la C.I.A., le *Glomar* repéra le sous-marin, l'agrippa avec sa pince géante et commença à le hisser vers la surface. Mais quelque chose se dérégla, et la plus grande partie du submersible se brisa et retomba au fond. Le *Glomar* (toujours d'après les rapports de la C.I.A.) ne put récupérer qu'un tiers du sous-marin, et manqua les missiles et les codes. Il transporta ce fragment dans les eaux territoriales au large de Hawaii, où il fut examiné par les techniciens américains puis découpé et immergé.

Le *Glomar* retourna aux États-Unis pour y subir des réparations et des modifications en vue d'une deuxième tentative.

Celle-ci n'eut jamais lieu car la couverture de l'opération fut détruite par une succession d'événements ahurissants qui se déroulèrent au cours des premiers mois de 1975. Leur origine fut un curieux cambriolage qui avait eu lieu dans les bureaux de Romaine, huit mois auparavant.

Le 5 juin 1974, peu après minuit, quatre voleurs firent irruption dans Romaine, après avoir maîtrisé le seul garde de service, Mike Davis. Tirant derrière eux un chalumeau à acétylène et un gros réservoir, les cambrioleurs se rendirent directement au second étage, dans l'ancien bureau de Kay Glenn, où ils percèrent son coffre mural et le pillèrent. Ils restèrent plus de quatre heures dans les locaux, percèrent un autre coffre et fouillèrent les dossiers et les bureaux. En partant, ils laissèrent Davis (d'après son propre témoignage) attaché sur un divan. Il n'y avait qu'un autre employé dans l'immeuble : de service au standard téléphonique, il était dans une pièce éloignée et bien isolée. Il assura n'avoir rien entendu.

On dit aux journalistes que les cambrioleurs avaient emporté soixante-huit mille dollars en liquide, quelques vases de Wedgewood et autres babioles. Ils publièrent un bref compte rendu, mais comme le vol semblait banal, ils cessèrent de s'y intéresser, n'en parlèrent plus, et il tomba aussitôt dans l'oubli.

Ce que l'on ne dit pas aux journalistes, c'est que les voleurs avaient également emporté deux classeurs à tiroirs remplis des mémos et des documents confidentiels de Hughes.

Plusieurs semaines après le cambriolage, un homme qui se faisait appeler « Chester Brooks » téléphona à la Summa en proposant de rendre les documents volés contre la somme d'un million de dollars en liquide. La direction refusa, pour la raison que les cambrioleurs n'avaient qu'à photocopier les documents et renvoyer les originaux pour rester maîtres des secrets de Hughes. Les cambrioleurs n'insistèrent pas.

Mais, environ un mois plus tard, la Summa fit une découverte consternante : un mémorandum exposant les grandes lignes du « Projet Jennifer » avait disparu. On en conclut que l'un des principaux secrets des services de renseignements du pays se trouvait aux mains des cambrioleurs inconnus.

Très gênés, les directeurs de la Summa informèrent la C.I.A. du désastre ; il était arrivé à un moment crucial, car le *Glomar* faisait route vers l'épave du sous-marin pour la repêcher.

La C.I.A. demanda l'aide du F.B.I. pour se cacher derrière lui. Par l'intermédiaire de son bureau de Los Angeles, le F.B.I. demanda au chef de la police, Ed Davis, d'essayer de contacter les voleurs et de récupérer les papiers, avec l'appât d'un million de dollars de fonds fédéraux. Pour justifier cette requête peu orthodoxe, les plus hauts fonctionnaires de la police de Los Angeles durent être mis dans le secret.

Pendant que la police essayait frénétiquement, mais en vain, d'établir le contact avec les cambrioleurs, un acteur et scénariste hollywoodien, Leo Gordon, vint trouver le procureur du comté de Los Angeles avec une histoire passionnante : un vendeur de voitures californien appelé Donald Woolbright était venu lui dire qu'il « avait accès » aux documents volés, et lui demander son aide pour les vendre à quelque revue étrangère importante. Gordon dit au procureur qu'on lui avait montré certains des documents, et qu'ils contenaient des informations politiquement explosives, et quelques allusions à la C.I.A.

Le procureur déféra Gordon à la police de Los Angeles. Les policiers furent très heureux de tenir une clé possible du « mystère du secret perdu de la C.I.A. » et se mirent en devoir d'utiliser Leo Gordon et le million comme appâts pour retrouver la trace des cambrioleurs, mais personne ne mordit. Le seul résultat de l'opération fut que beaucoup trop de gens à la police de Los Angeles connurent certains aspects du « Projet Jennifer ».

Au début de février 1975, quelqu'un fit parvenir à William Farr, journaliste du *Los Angeles Times,* un rapport inexact sur la tentative de renflouement du sous-marin. Le *Times* publia, sous une manchette de huit colonnes à la une, un article annonçant que le *Glomar* avait récupéré un sous-marin russe dans l'Atlantique Nord (il s'était trompé d'océan et situait l'action à seize mille kilomètres de son lieu réel). Dans l'édition suivante, l'histoire fut reléguée à la seizième page, puis on n'en parla plus. Dans le milieu de la presse de Los Angeles, cette péripétie fut appelée « Le mystère du sous-marin russe qui a rétréci ». On sut plus tard que le *Times* avait minimisé puis laissé tomber cette histoire sensationnelle à la demande expresse de la C.I.A. qui craignait des remous risquant de compromettre une opération en cours.

D'autres journaux furent amenés à agir par l'article du *Los Angeles Times.* Seymour Hersch, du *New York Times,* reprit l'histoire, la vérifia, écrivit un article ; la C.I.A. pria la direction du *Times* d'en retarder la publication, ce qui fut fait. À mesure que d'autres journaux s'intéressaient à l'histoire, la C.I.A. la confirmait et demandait qu'on la passe sous silence. Tous les journalistes ne furent pas d'accord : après tout, le secret s'était étalé une fois en première page du *Los Angeles Times* et n'en était donc plus un pour tout agent russe comprenant l'anglais. Finalement, Jack Anderson refusa de se taire. La C.I.A. libéra alors les journaux, et l'histoire fut divulguée dans ses moindres détails.

Quand le secret eut été étalé au grand jour, l'histoire prit un tour bizarre : le garde de service à Romaine cette nuit-là, Mike Davis, révéla de nouveaux détails. Il reconnut ne pas avoir tout dit à la police au sujet du cambriolage. Ayant obtenu l'assurance de ne pas être poursuivi, il révéla des faits qu'il avait tenus secrets pendant dix mois.

Quand les voleurs furent partis et qu'il réussit à se libérer de ses liens, Davis dit qu'il avait trouvé, sur le plancher du bureau de Kay Glenn, deux documents vraisemblablement abandonnés par les cambrioleurs. Il les avait ramassés et mis dans sa poche. L'un était le mémo concernant le « Projet Jennifer » et l'autre, un reçu de dépôt bancaire de cent mille dollars au nom de Kay Glenn.

Davis prétendit que « dans l'affolement du cambriolage », il avait oublié d'en parler à la police ou à ses patrons. Il avait emmené les documents chez lui et les avait mis de côté. Maintenant, il voulait réparer son erreur : il restitua le reçu pour qu'on le rende à son propriétaire légitime.

Mais il ne pouvait malheureusement rendre le mémo sur le « Projet Jennifer » : quand il avait lu les journaux, il avait paniqué et l'avait déchiré et jeté dans les toilettes.

L'affolement de Summa et de la C.I.A. était donc inutile, ainsi que ce qui en avait découlé. La communication du secret à la police, la destruction par le *Times* de Los Angeles de la couverture de l'opération « Jennifer ». Tout le monde avait frénétiquement recherché un document qui n'existait plus.

Ce dénouement d'opéra-comique passa pratiquement inaperçu dans la controverse qui faisait rage dans tout le pays sur le rôle de la presse, qui avait dévoilé le projet de la C.I.A. Les gens qui détestaient les journalistes leur reprochaient d'avoir ouvert une brèche dans la sécurité nationale. Les journalistes qui n'approuvaient pas la collaboration de la presse et du gouvernement reprochaient aux directeurs de journaux d'être « à la botte de la C.I.A. ».

Au milieu de ce tohu-bohu, pratiquement personne n'eut l'idée de commenter la façon cavalière dont l'organisation Hughes avait géré le projet de quatre cents millions de dollars que la C.I.A. lui avait confié. Les rapports de police, qui ne furent pas publiés au moment du cambriolage, indiquaient qu'il n'y avait à Romaine qu'un seul système d'alarme, qui ne fonctionnait pas, et ce depuis des mois; le service de sécurité de Romaine — en particulier le fait de n'utiliser qu'un seul gardien — ne correspondait pas aux normes fédérales. Il ne disposait même pas des contrôles par télévision en circuit fermé qui assuraient la sécurité personnelle du milliardaire.

Comme le dit un détective :

— Les cambrioleurs ont « fait » Romaine aussi facilement que si c'était l'épicerie du coin.

Le fiasco de Romaine soulevait une question qui ne reçut jamais de réponse: la C.I.A. connaissait-elle le véritable état de Hughes quand elle choisit la Summa comme couverture d'une opération ayant de graves implications internationales ?

Déjà en 1971, lorsque Hughes quitta les États-Unis pour la première fois, Ben Schemmer, rédacteur du *Journal des Forces Armées,* avait demandé à la C.I.A. si l'exil du milliardaire était compatible avec la sécurité du pays, alors que son organisation était détentrice de contrats touchant aux secrets de la Défense nationale. Schemmer voulait savoir si la C.I.A. s'était assurée que Hughes était en mesure de diriger son empire, qu'il la dirigeait effectivement, et qu'il était à l'abri de menées étrangères. La C.I.A. avait répondu qu'elle n'avait pas juridiction sur les citoyens américains.

Il n'y a aucune preuve, et aucune raison de croire, que les négligences relevées à Romaine soient imputables à Hughes qui ne savait même pas que Bill Gay avait à peu près abandonné Romaine pour Encino. Il est possible que Hughes n'ait jamais rien su du cambriolage de Romaine. Étant donné sa manie de cacher même les détails banals de sa vie, le vol de deux classeurs contenant des papiers personnels et secrets aurait dû, s'il l'avait connu, le mettre dans une colère apocalyptique.

Pourtant, tout au long du séjour à Freeport, ni Margulis ni Stewart n'entendirent jamais le milliardaire faire la moindre allusion au cambriolage, ou à l'étrange disparition du mémorandum « Jennifer ».

*

Ayant eu le rare privilège de voir Hughes à Londres, Chester Davis se rendit à Freeport pour obtenir une nouvelle audience de son client. Margulis et Stewart notèrent le mécontentement que l'arrivée du conseiller juridique de leur patron causait parmi la Garde du Palais. On leur avait dit que Davis voulait discuter avec Hughes les salaires des assistants, parce qu'ils posaient des problèmes avec le fisc : ces salaires, qui allaient jusqu'à cent dix mille dollars par an, pour Holmes et pour Myler. étaient payés par la Summa et non par Hughes, pour que ce dernier n'ait pas a payer d'impôt dessus. Le coût de l'entourage personnel de Hughes passait ainsi aux frais généraux de ses sociétés.

Mais la chute de Richard Nixon avait entraîné une modification du climat au Internal Revenue Service. Des agents du Service des impôts posaient à Bebe Rebozo des questions indiscrètes sur les impôts qu'il aurait dû payer sur les cent mille dollars reçus de Hughes qu'il avait conservés trois ans sans les déclarer. Rebozo finit par résoudre le problème en redonnant la somme à l'organisation. Maintenant, les agents du fisc examinaient les comptes des entreprises Hughes avec un soin exceptionnel.

— Les assistants ne voulaient pas que Davis parle au patron, dit Margulis ; ils lui administrèrent des sédatifs pendant trois jours alors que l'avocat attendait. Quand Hughes finit par se réveiller, il accepta de voir Davis, mais voulut d'abord manger, puis être « apprêté » par Mell Stewart.

Il prit son temps pour manger, comme toujours, puis quand il eut fini, il demanda aux assistants de faire venir Stewart.

Ceux-ci sortirent, puis revinrent au bout d'un moment en disant qu'ils ne pouvaient le trouver nulle part. Ils avaient utilisé le même procédé à Londres quand Hughes voulait parler à Jack Real. Je savais que Mell attendait dans sa chambre et je suis allé l'y chercher.

Les assistants savaient que Davis devait repartir à New York, ils faisaient traîner les choses en longueur.

Stewart prit ses outils et commença à coiffer Hughes. Pendant qu'il lui coupait les cheveux, Mell laissa tomber :

— L'équipage de l'avion attend Chester Davis, qui se prépare à rentrer à New York.

Le patron fit de grands gestes :

— Dites à Chester de ne pas s'en aller !

Stewart le dit à Gordon qui alla trouver Davis sur le court de tennis :

— Monsieur Hughes voudrait vous voir !

— Les assistants étaient furieux après nous, se rappelle Margulis. J'ai dit à Mell que nous avions déjoué leur petite comédie.

En dépit des efforts des deux amis, Davis ne put aller plus loin que le Bureau, et dut se contenter d'une conversation téléphonique avec son patron.

— Quand Davis eut fini, raconte Margulis, il appela les assistants dans le bureau de Bundy et les accusa d'insubordination. Il leur dit que si, à l'avenir, un seul de ses messages au patron n'était pas transmis, il allait leur arriver « des choses très désagréables ».

Stewart raconte que tous ses efforts pour tenir Hughes au courant de ce qui se passait le faisaient mettre en quarantaine par les autres.

— Holmes me dit : « Ne recommencez jamais un coup comme ça, nom de Dieu ! » À partir de ce moment, et jusqu'à ce que nous quittions Freeport, j'ai été traité comme un traître et éloigné de monsieur Hughes. Mais c'est envers lui que j'avais des obligations, pas envers les assistants, ou envers Bill Gay, ou Kay Glenn. Hughes était l'homme pour qui je travaillais, je n'avais pas à être loyal envers aucun des autres. Je n'ai même pas revu monsieur Hughes jusqu'à ce qu'on le mette dans l'avion pour aller à Acapulco. Il n'était pas bien, à ce moment-là, mais il m'a regardé et m'a dit : « Mell, ça me fait plaisir de vous revoir. »

Durant le dernier mois passé à Freeport, son état avait énormément empiré. Il avait recommencé à ne plus manger et perdit beaucoup de poids.

— C'était comme si quelque chose l'avait brisé, dit Margulis. Il passait ses journées à dormir, ou dans un demi-coma. Quand il était réveillé, il regardait des films, mais ça n'avait pas l'air de lui faire grand plaisir. Quand nous étions arrivés à Freeport, je pensais qu'il avait des chances de récupérer, malgré sa hanche. Sur le trajet de l'aéroport, il me dit que certaines personnes pensaient qu'il était « fini », mais qu'elles avaient tort. Il n'était pas croyant, mais il a dit quelque chose dont je me souviendrai toujours. Il a regardé le ciel et il a dit : « Celui qui est là-haut attendra encore un peu. »

À la veille de Noël 1975, Hughes eut soixante-dix ans. Son anniversaire ne fut pas davantage fêté que ne le serait Noël le lendemain, comme d'habitude.

— L'un des assistants eut une initiative que je n'ai pas du tout appréciée, dit Margulis. Il téléphonait à la Summa. Je l'ai entendu dire que « Hughes souhaitait un joyeux Noël à Bill Gay et à tout son personnel et qu'il appréciait beaucoup leur travail ». Quand il a raccroché, je lui ai dit que je ne pensais pas que le patron avait dit cela. Il rit et me répondit qu'il le savait, mais que cela ferait plaisir à ceux d'Encino...

... Un peu plus d'un mois plus tard, on nous dit que nous allions de nouveau partir, cette fois pour Acapulco. À ce moment, Hughes était déjà dans la phase finale de son déclin. Quand on nous a dit que nous emmenions le patron à Acapulco, je ne pouvais le croire. Un endroit ou un autre, pour lui, c'était la même chose : une petite chambre sombre où il était enfermé.

Quand un assistant prenait son service, sa première question était :

— Est-ce qu'il est « hors circuit » ?

On aurait pu sortir Hughes de sa chambre, la repeindre, l'y remettre en lui disant qu'il était à Acapulco, il n'aurait pas fait la différence.

Quoi qu'il en soit, le 12 février 1976, un Hughes amaigri fut placé sur une chaise roulante, sorti du Xanadu Princess, mis dans un fourgon et ensuite dans un avion. Il était accompagné des docteurs Chaffin et Crane, en plus de ses habituels hommes de confiance. Un vol sans escale les amena à Acapulco.

Quand ils le mirent dans l'ascenseur de l'hôtel, la porte fonctionnait mal ; elle se fermait, l'ascenseur ne bougeait pas, puis elle se rouvrait.

— Nous sommes restés là, avec la porte qui s'ouvrait et se fermait jusqu'à ce que Hughes s'aperçoive de quelque chose. Il m'a demandé ce qui n'allait pas, dit Margulis. J'ai fait une petite plaisanterie : je lui ai dit : « C'est votre nouvelle chambre. Nous allons bientôt y apporter votre lit et c'est là que vous allez vivre ! » Hughes réfléchit quelques instants, me fit son petit signe O.K. des doigts, et réussit à sourire. Ce fut la dernière fois que je le vis sourire...

...Puis l'ascenseur se remit à fonctionner, et nous l'avons emmené dans sa nouvelle chambre. Quand je l'ai porté, j'avais l'impression de tenir entre mes bras un enfant fragile, avec de longues jambes.

14

LE SABLE UNI DU DÉSERT

À la fin de *Citizen Kane*, le film d'Orson Welles sur la richesse et l'excès de possession, la caméra fait un panoramique sur un vaste hall bourré de meubles, de statues, d'armures et autres possessions, que Charles Foster Kane — transposition à peine voilée de William Randolf Hearst — avait rassemblés au cours de sa longue vie. Dans le film même, une équipe de journalistes tente vainement d'expliquer le dernier mot de Kane : « bouton de rose ». La caméra qui survolait les détritus de la soif de biens matériels de Kane, se fixe sur un petit traîneau que Kane avait conservé depuis son enfance. Un ouvrier, qui triait les objets de valeur, jette machinalement le traîneau dans le feu, et les spectateurs voient dessus le mot « bouton de rose » consumé par les flammes. À sa mort, Kane était retourné en esprit vers les joies simples de l'enfance.

Le dernier jour, Howard Hughes n'avait plus sa tête, et personne ne comprit ou ne se rappela ses dernières paroles. Quand Margulis le souleva pour le mettre dans l'avion qui devait l'emmener à Houston, ses lèvres remuaient, mais aucun son ne s'en échappait. Il est mort comme il avait vécu : replié sur lui-même.

Ses effets personnels, ceux qu'il possédait lui, et pas ses sociétés, n'auraient fait qu'un petit tas dans un coin de sa dernière chambre. Il n'y en avait à peine plus que n'en a laissé Gandhi. Pour son enterrement à Houston, la famille fut obligé d'acheter des vêtements (un complet bleu marine et ce qui allait avec) pour l'un des hommes les plus riches du monde.

Comme Charles Foster Kane, il laissait un « bouton de rose » inexpliqué, deux en fait. Pourquoi se négligeait-il, s'était-il laissé devenir un homme qui ne pouvait plus supporter qu'on le voie — et les folies humaines sont telles qu'il se pourrait fort bien que lui-même n'en connût pas la raison, ou s'il la connaissait, il a emmené son secret dans la tombe.

Le second mystère, c'est son but : que cherchait-il au-delà du simple désir d'acquisition ?

Aucune caméra n'aurait pu cadrer ni survoler la totalité de ce que Hughes possédait et laissait derrière lui : ses terres immenses, ses sociétés, ses hôtels, plus de deux cent millions de dollars en bons de l'État... la clé du mystère n'était pas cachée dans ses possessions, elles étaient le mystère lui-même.

Hughes résumait le rêve américain tel qu'il s'était transformé en cette seconde moitié du vingtième siècle : une fortune démesurée, le pouvoir illimité qui s'y attache, le développement incontrôlé d'une technologie déchaînée. Son argent avait nourri des industries qui avaient lancé la science américaine vers de nouvelles frontières, posé une caméra sur la lune, et placé sur orbite des satellites de télécommunications. Mais lui-même éprouvait la plus grande difficulté à communiquer avec qui que ce soit. Finalement, l'argent a fini par le vaincre et, avec lui, tous ceux qui adoraient son argent. À la fin, sa vie se trouvait réduite à une minuscule chambre obscure, et toute sa fortune ne servait qu'à lui acheter la réclusion totale exigée par son autisme.

Dans l'interview téléphonique accordée du Britannia Beach, il avait exprimé le souhait de faire servir sa fortune à la recherche médicale :

— Le gros de ma succession y sera employé, disait-il. Rien ne m'intéresse plus que la recherche médicale et la quête de meilleures conditions de vie, d'une meilleure santé et d'une meilleure assistance médicale... pas seulement aux États-Unis mais dans le monde entier.

Mais, dans cette interview, comme dans d'autres conversations ou dans ses mémos, il dit bien les choses qu'il ne pensait pas. Il avait de même fait miroiter la promesse de consacrer son argent à la recherche médicale devant des hommes politiques au Texas, en Floride, au Nevada, pour les mettre en condition, les incliner à satisfaire ses ambitions dans d'autres domaines.

Il aurait suffi d'un acte notarié pour léguer sa fortune à la recherche médicale. Mais après sa mort, on eut beau fouiller ses coffres et ses dossiers, on ne put découvrir le moindre testament. S'il avait légué ses biens à une fondation médicale, cela aurait été tout à l'avantage des dirigeants de la Summa d'en fournir la preuve. L'autre possibilité — qu'il soit mort intestat — signifie que le gros de sa fortune, jusqu'à soixante-quinze pour cent, pourrait revenir au gouvernement fédéral pour droits de succession. Cela exigerait la mise en liquidation de la plus grande partie de son empire, ce qui serait tout à fait contraire aux intérêts de ceux qui dirigeaient la Summa au moment de sa mort.

Dans l'avalanche des « testaments », la plupart manifestement faux, qui surgit après sa mort, seul fut soumis à examen celui qu'on a appelé le « testament mormon ». Il avait été découvert dans des circonstances mystérieuses à Salt Lake City, chez les Mormons.

Censé avoir été rédigé en 1968, il désignait comme exécuteur testamentaire Noah Dietrich, envers qui Hughes éprouvait un profond ressentiment, comme en témoigne son interview de 1972. Il léguait le « Spruce Goose » — surnom irrespectueux que Hughes détestait — à la ville de Long Beach quand Hughes avait perdu possession de l'hydravion au profit du gouvernement fédéral. Mais le langage et le style du testament n'avaient pas la précision habituelle à Hughes, ni son souci du détail ; il contrastait du tout au tout avec le mémo que celui-ci écrivit au sujet de la garde-robe de Jane Russell.

Le legs le plus curieux était celui d'un seizième de sa fortune à Melvin Dummar, le pompiste qui avait prétendu avoir « monté » Hughes en auto-stop en 1968, l'avoir emmené à Las Vegas et lui avoir prêté vingt-cinq cents. Si Hughes avait quitté le Desert Inn une seule fois entre 1966 et 1970, sa sortie avait échappé à la Garde du Palais. Surtout, cette histoire du type qui ramasse sur le bord de la route un indigent qui se trouve être Howard Hughes — et qui en est plus tard généreusement récompensé revenait constamment dans le folklore Hughes.

Le véritable héritage de Hughes pourrait bien n'être qu'une longue suite de procès. Margulis et Stewart pensent tous deux que Hughes est mort intestat.

— Il faisait croire aux gens qu'il allait les mettre sur son testament ou les en rayer pour mieux les manipuler, dit Margulis. Écrire un testament et le confier à un assistant lui aurait fait perdre son pouvoir. Je l'imagine plutôt face à la mort disant simplement :

— Je les ai tous baisés !

À la fin, il ne s'inquiétait de personne, sauf Jean Peters, et il l'avait mise à l'abri du besoin dans leur règlement de divorce. Il n'avait pas vu sa plus proche parente, une tante, depuis quelque quarante ans ; il avait encore de lointains cousins qui ne l'avaient, pour la plupart, jamais vu. Son oncle décédé, l'écrivain Rupert Hughes, décrivait ainsi ses relations avec son neveu :

— Je peux approcher le Tout-Puissant en me mettant à genoux, mais je ne sais pas comment rencontrer Howard.

*

Il fut enterré deux jours après sa mort, au Glenwood Cemetery à Houston, à côté des tombes de son père et de sa mère. Ce fut une cérémonie intime, seize personnes y assistèrent, pour la plupart des parents éloignés, et personne ne pleura. Le révérend Robert Gibson, de la cathédrale épiscopale Christ Church, où Hughes avait été baptisé, célébra le bref service mortuaire, qui comprit la lecture de ce passage du *Book of Common Prayer :* « Nous n'avons rien apporté dans ce monde et il est certain que nous n'en emporterons rien. »

Aucun des grands directeurs de la Summa n'était là. On ne leur avait pas demandé de venir.

Plusieurs mois plus tard, à une réunion du conseil d'administration à Las Vegas, Frank William Gay fut nommé à la présidence de la Summa Corporation. C'est un poste que Howard Hughes lui-même n'a jamais tenu.

Au moment de la mort de Hughes, Robert Maheu faisait une croisière avec des amis dans la mer Égée. Il apprit la nouvelle par radiogramme et, le lendemain, débarqua en Crête où il lut un récit de la mort du milliardaire dans un journal. Deux ans s'étaient écoulés depuis qu'un jury lui avait accordé deux millions huit cent mille dollars de dommages et intérêts parce que Hughes l'avait faussement accusé de vol ; mais les avocats de Hughes avaient fait appel et il n'avait rien touché.

Quand il lut le triste état dans lequel Hughes était mort, il pleura. Sa femme, Yve, lui demanda pourquoi.

— Personne ne mérite de s'en aller comme ça, répondit Maheu.

À Las Vegas, où les deux hôtels de Hughes surgissent du désert comme deux jambes de pierre sans tronc, les directeurs de casinos se plièrent à la requête du directeur des relations publiques de la Summa, et firent observer une minute de silence à la mémoire de Hughes. L'annonce en fut faite sur les interphones et, pendant une minute, ce fut le silence complet dans les casinos. Les ménagères restèrent debout devant les machines à sous, leur gobelet de monnaie à la main, les jeux de vingt et un s'arrêtèrent et les dés s'immobilisèrent aux tables de passe anglaise.

Ensuite le préposé regarda sa montre, se pencha en avant et murmura :

— Vas-y ! Lance les dés, il a eu sa minute !

TABLE DES MATIÈRES

L'IMPRESSION ET LE BROCHAGE DE CE LIVRE
ONT ÉTÉ EFFECTUÉS PAR FIRMIN-DIDOT S.A.
POUR LE COMPTE DES ÉDITIONS
INTERNATIONALES ALAIN STANKÉ
ACHEVÉ D'IMPRIMER LE 22 FÉVRIER 1977

Imprimé en France
Dépôt légal : 1er trimestre 1977 — N° d'impression : 0338